江戸の科学者

講談社学術文庫

目次

江戸の科学者

関流をめぐる人びと

――関孝和たちと会田安明――

コンピューターの時代になっても、ソロバンは依然として有効だ。この簡単な計算器は世界に珍しい便利なすぐれたものである。その発明は中国、しかし時期はよく判らない。ただ元代にはすでに実用化されていたことはたしかである。日本に入ったのは室町時代の末期ごろであろうか。明との貿易が盛んに行なわれた時代、商取引の計算を通じてもちこまれたものとみられる。

有名な川越の「喜多院職人尽絵」屏風絵。このなかに刺繡屋の図がある。上で仕事をし、一階では主人がソロバンをはじく。前には天秤。この図は狩野吉信筆、一六世紀末のものとされる。ソロバンが実用化されていたことのいい証明だ。元和八年(一六二二)には毛利重能(しげよし)の著『割算書』が出た。彼は京都で「天下一割算指南」の看板をかけて、ソロバンを教えたという。こうしてソロバンは簡略でしかも便利な計算器として、日本人の間にひろく普及したのであった。

これとならんで東洋独特の計算器としての算木がある。長さ五センチ、幅一センチぐらいの小さな板だ。中国では古くから計算用に使われてきた。縦に一本置くと一、二本置くと二を表わす。六になると横に一本、縦に一本とT字形に置いて数を表わしてゆく。十位の数字になるとこんどは逆に横に置いて十を表わす。このように位の上るにつれてその置き方を変える。するとどんな数でも算木でしめすことができることになる。日本にも早くから伝えられて、鎌倉期にはかなり用いられていた。また算木を赤と黒に分けて、赤はプラス、黒はマイナスを表わすことにした。この使用も中国ではきわめて古く、中国最古の数学書といわれる『九章算術』にも、赤と黒でプラス、マイナスをしめすことが記されている。『九章算術』は後漢のころに完成し、三世紀の半ばごろから、劉徽(りゅうき)の注を付して一般に行なわれるようになったもので、中国でも日本でも数学の根本のテキストとして重視されたものであった。算術、一次、二次の方程式、平面や立体の積を求める算法が一通り記されている。開平、開立の計算法もある。

元の朱世傑(しゅせいけつ)は『算学啓蒙』を著(あら)わした。一三世紀の末のことだ。このなかで天元術が説かれた。天元術は中国で生まれた代数学である。この書物が万治元年(一六五八)紀州の久田玄哲によって日本で出版された。新しい数学としての代数学、天元術がひろく日本にも知られることになったのである。これら中国で発達した各種の数学やソロバンまた算木によって日本の数学もまた独特の発達をみせた。これが和算といわれるものである。そしてこの和算

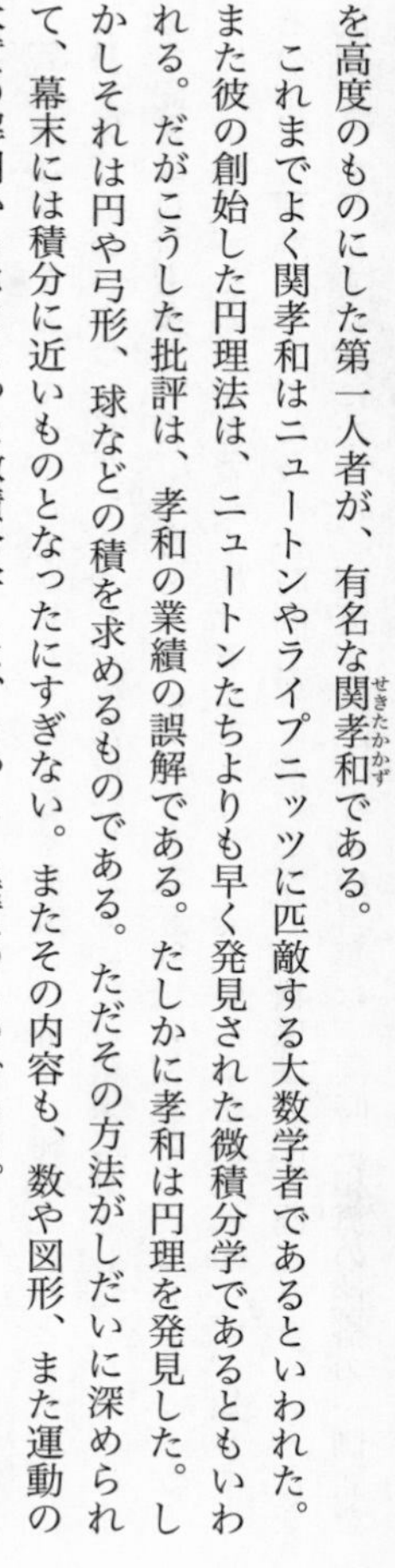

関孝和

を高度のものにした第一人者が、有名な関孝和（せきたかかず）である。

　これまでよく関孝和はニュートンやライプニッツに匹敵する大数学者であるといわれた。また彼の創始した円理法は、ニュートンたちよりも早く発見された微積分学であるともいわれる。だがこうした批評は、孝和の業績の誤解である。たしかに孝和は円理を発見した。しかしそれは円や弓形、球などの積を求めるものである。ただその方法がしだいに深められて、幕末には積分に近いものとなったにすぎない。またその内容も、数や図形、また運動の本質の解明からはじまった微積分学とは、まったく異質のものである。

　和算はその根本が計算術、実用だった。数式や図形の本質を考えるものではない。勾股弦（こうこげん）の定理というものがある。西洋のピタゴラスの定理と同じもので、その起原は中国では紀元前にある。しかしそれも三辺のうち二つの値が知れていて、他の一辺の値を知るための術、公式となっていた。

　そこでは法則というものはとらえられず、いつも特殊な例をあげることで法則を代表させようとした。そのために、西洋の数学者の発見したものと同質の法則や定理でも、複雑な実際の数で現わされるにすぎなかった。さらには人を驚かす奇妙な図形の面積を求めたりすることが流行した。問題のための数学。一種の遊びである。

だから和算は芸能に近いものだった。和算家は直感を重視した。そこで彼らはよく帰納法を用いた。帰納法は直感から生まれる。和算家はすぐれた直感によって、よく西洋数学に匹敵する公式を発見した。しかしその公式をさらに論理的に研究してゆくことにはほとんど興味をもたなかった。

神社や仏寺に算額を奉納したことも、芸能的な感覚からだった。むかしの額をおさめる絵馬堂は、今日でいえば一種の公開ギャラリーだった。画家たちはそこで世人の評判をたかめようと努めたのである。同じように和算家たちも自分の能力をしめすために額を奉納した。むつかしい問題をかかげておく、するとこれを解いた人はまた額を奉納して、自分のすぐれていることを誇示したのだった。

芸能的な性格をもっていることから、その学習や研究には非常な秘密主義がとられた。伝授料や免許状がいくつも必要であった。秘密を守るためには、結果に到達したプロセスはまるで記さぬ場合も多かった。こうした非公開性、和算家同士の相互のコミュニケーションを欠いた状態は、その発達を著しく妨げることとなる。先人の仕事を後人は知らず、知ってもその結果を理解するまでに多くの時間を要する。こうした状態は芸能と同じようにいろんな流派をつくりだすことになった。関流、最上(さいじょう)流などの言葉は、同時に和算の性格の一側面をうかがわせるものだ。そのために社会一般からも和算家はさして重視されなかった。士、農、工、商のきびしい身分社会で、計算は商人あるいは税金事務に関係する下級武士の仕事となっていた。和算家もまたそうした階級につながるものとして軽視されたのだった。数学は小人の学ぶべきもの、君子の学ぶべきものではないとするのが一般の見解であった。大名で和算に興味をもったのはほんのわずかだったし、幕府でも勘定方とか普請役、天文方、などのように、実際計算を必要とする職種のなかにしか和算家は生まれなかった。事情は各地の大名の場合も同じである。そのほか商家のなかにも和算家はあったが、もともと賤められた商家のことであり、その数は決して多くはない。

関孝和もそのなかの一人である。彼の生年は不明、寛永一四年といわれるのは架空のことという。父は内山永明といった。駿河大納言忠長の臣で、忠長が失脚して上野の高崎に幽閉されたため浪人となった。しかし寛永一六年（一六三九）にはふたたび幕府に仕官することとなり、江戸に出た。孝和はその二男である。養子となって関を称することになった。

彼は生まれつきの秀才で、ことにソロバンの扱いにすぐれていたとされる。彼の和算の師は毛利重能の弟子だった高原吉種（よしたね）といわれ、また独力で和算を研究したとも伝えられる。どちらであるか今でもよくわからない。

孝和は通称は新助、自由亭とも号した。はじめは甲府の大名徳川綱重、綱豊に仕えた。綱重は家光の子にあたる名門である。役は勘定吟味役、すなわち会計を検査する役人だった。綱宝永元年（一七〇四）、綱豊は将軍綱吉の世子となって江戸城に入ったので、孝和もまた江戸に出て幕府の直属となった、禄高は二五〇俵、一〇人扶持、のち三〇〇俵と昇進した。これは当時の和算家の受けた待遇としては、めずらしく好遇であった。宝永三年（一七〇六）一一月、小普請組（こぶしんぐみ）に編入された。これは実務につかぬ役である。二年のちの五年一〇月二四日歿した。法名は法行院宗達日心居士である。

孝和には子供がなかった。そこで甥が跡をついで新七といったが、やがてその跡も絶えてしまった。のちに関流の和算家菅野元健たちが江戸の牛込、日蓮宗の浄輪寺にあった墓碑を改修したが、その時法名を法行院殿宗達日心大居士と改刻した。また六年には本多利明、斎藤正順ら八人によって新しく「関先生之墓」と大書した碑が建てられたのである。

孝和の一生についてはこの程度しか判っていない。和算家がさして社会的に重んじられなかった一証ともいえよう。しかし彼の業績はすばらしいものがあった。まず代数学である中国の天元術を発展させて、点竄術（てんざんじゅつ）をはじめた。天元術は代数学だが、その方程式の係数はいつも数字係数に限られていた。ところが孝和は傍書法と呼ばれる方法で、文字係数をもった方程式を記すことができるようにした。すると二変数以上の方程式についても考えることができ、そこから行列式まで進めることができる。西洋のものに先立つこと七〇年である。

こうして孝和は天元術よりもはるかに広い範囲で代数学を考えることができるようにした。甲乙丙などの記号を用いて代数の計算を進めたことは、西洋数学と実はまったく同じことだったのである。彼はこれを帰源整法と呼んでいたが、のちに松永良弼が点竄術と改名した。

孝和は天和三年（一六八三）には、「解伏題之法」を発表した。これは二変数の二つの方程式から一変数を消去するために、行列式を用いることを述べたもので、三次、四次、五次に至る展開法も発見した。西洋では三次の行列式の展開は、一九世紀の半ばになってはじめて一般に知られたのだった。もっとも孝和の展開は四次と五次にあっては誤っていた。四次は次代の松永良弼によって訂正され、五次については石黒信由と、孝和の墓碑を修理した菅野元健が、これを正しいものにした。

方程式の研究についても孝和のレベルは高かった。中国では高次方程式の解法は早くからすぐれた発展をしめしていたが、その一部が宋の『楊輝算法』明の『算法統宗』によって日本人にも知られた。孝和はこの中国数学からヒントを得て、一八一九年ホーナーが発表した近似法と同じ式を発見したのだった。ホーナーよりも一世紀早い。またニュートンの近似法と同質の方法にも到達し、方程式の負根、虚根についても考えていた。

彼は角術についてもすぐれた理論を作りだした。角術とは正多角形の一辺の長さを与えておき、これに内接あるいは外接する円の半径を求める術である。彼は正三角形から正二〇角形に至るすべての正多角形について、その関係式を作るのに成功した。また一辺を一寸とした時の数値についても実に十桁までの近似値を求めることができた。そのほか西洋でいうべルヌーイ数、方陣の法則、楕円の面積、ニュートンの補間公式など多くの問題をみごとに解決した。また円理によって、素朴な段階の積分学の考えももっていたのである。その大部分は西洋よりも早い時期の発見であった。

孝和によって和算はその面目を一新し、大きな飛躍をとげたのである。この意味からいえば関新助孝和はまさに数学の一大天才であったということができよう、彼の弟子のうちで著名なものとしては、建部賢弘、松永良弼、久留島義太がある。そのうち建部はすぐれた独創力と直観力をもった人であった。彼は将軍吉宗に仕えて信任され、天文、算術、暦法において、当時天下一と称された。中国、元の郭守敬によって編まれた授時暦の研究に関する書物をいくつも書き、のちの改暦の基礎を与えることにも大きな力となった。二項定理、ジオファンタスの近似問題など、建部もまた孝和にならんで西洋に先立つ発見を残している。

松永良弼は孝和の弟子、荒木村英の一門、つまり孫弟子にあたる。九州久留米の出身で、孝和の残した多くの遺稿を整理しこれを発展させた。関流と称された和算の体系は彼によって組織された。各種の記号や記法を一定にし点竄術として確立させた。彼はまた孝和の円理の概念を進めてついに極限と定積分の考えにまで至ることができた。

松永によって組織された関流の数学を、免許制度としてつくりあげたのが山路主住だった。彼は幕府の天文方の一員として、宝暦の改暦に参画した人である。こうして荒木、松永、山路の系列によって、和算の中枢となる関流は完成した。関流には五種の免許があり、見題免許、隠題免許、伏題免許、別伝免許、印可免許から成っていた。それぞれ許状と目録があって、簡単なものからしだいに複雑高級のものに昇ってゆく仕組となっていた。最高の印可は高弟のごく少数のものしか得ることはできなかった。関流においては、関孝和は始祖、荒木村英は初伝、松永は二伝、山路が三伝と呼ばれた。それ以後の印可を受けた人びとは、関流宗統弟第…伝と称したのである。

和算ははじめに記したような、多くの芸能的な性格と欠点をもっていた。しかしその内容においてはたしかに「我国人の知識的生産物の第一位に位する者」（狩野亨吉）であった。

中根元圭

徳川将軍吉宗の時代、享保のころのことである。一大名が儒者の篠崎東海に、今の各界の第一人者は誰かとたずねた。東海は答えた。儒者では伊藤東涯、荻生徂徠、暦法と和算では中根元圭、久留島喜内、書道では細井広沢、壺井義知、神道では賀茂の梨本氏、俳諧では松木次郎右衛門、芝居狂言では市川団十郎、ことに中根は暦算だけではなく多芸の人である、と答えた。このように中根元圭は享保年間では、まさに科学界の第一人者とみなされていた。

中根元圭は通称丈右衛門、璋ともいった。近江の国浅井郡の人、寛文二年（一六六二）生まれである。

著名な暦学者保井（渋川）春海について暦法を学んだが、青年の才気はこの温厚篤実の学者の下で十分に満足することができなかった。彼は春海のもとを離れて独学し、二五歳早くも『新撰古暦便覧』を書いた。けれども春海が中心となって研究し成立した貞享暦についての理解が十分でなかったため、日月食や閏月の計算が、実際とうまく合わなかった。元圭はそこで貞享暦の法を、京都の暦学の中心人物、安倍泰邦に学ぼうとしたが許されなかったといわれる。元圭の数学はもちろん関流であった。はじめは田中由真につき、のちに鬼才建部賢弘について学んだ。彼は和算についてはすぐれた能力を発揮し、建部門下の第一となった。

そのころ後に関流の俊才とされた久留島義太（喜内ともいう）がいた。彼は自由奔放の性格で浪人して江戸の本所に住んだ。ある日柳原を散歩していると古本を売っている者がいた。そこに表紙も破れとれかかった『新編塵劫記』があった。『塵劫記』は寛永のころ吉田光由が著わした初等算術のテキストで、これにならって以後多くの塵劫記の名をつけた算術書がつくられた。江戸期を通じて庶民の数学教育に重要な意味をもったものである。

塵劫記には継子立といわれる数学遊戯がのっていることでも有名だ。継子立のことはすでに名高い兼好法師の『つれづれ草』にもその名がみえる。クイズは次のようなものである。

子供が三〇人いた。一五人は先妻の子、あと一五人は後妻の子だった。後妻は自分の子に家を継がせようと、子供たちをまるくならべ、一処から数えはじめ一〇人目ごとに除いてゆき、最後に残る一人を跡取りとしようと考えて子供をならべた。数えはじめて先妻の子一四人までが除かれた。すると一人の継子がいうのに、これでは余りに一方的だから、次のは私から数えて下さいといったのでやむを得ずその子から数えはじめた。するとこんどは後妻の子ばかりが除かれることになって、最後に残ったのは先妻の子となった。後妻の悪計は成功しなかった。

これとまったく同種のクイズが西洋では一〇世紀ごろにすでにあった。一五人のキリスト教徒と一五人のトルコ人が同船して船が難船した。そこで一五人は海に飛びこまねばならなくなった。その一五人をきめるとき、やはり三〇人をまるくならべ、九人目を犠牲にするようにした。結局トルコ人全部が飛びこみ、キリスト教徒は助かったとなっている。イスラムのトルコ人を憎んだキリスト教徒のエゴイズムのよく現われたクイズだが、これと継子立の関係は不明である。そしてこの問題を理論的に解いたのは関孝和だった。

さて久留島はこの古本の値をきいた。五〇文という。手にとってみるとそこに書かれている計算術は、久留島にはすぐに理解できるものばかりであった。なかにちょっとした誤りのあることも、久留島はすぐ気づいた。久留島は考えた。算術はしぜんのままの理でありそれを追ってゆけば理解できるものなのだと。ところがこれが困難だとか、むつかしいといわれるのはどうもふしぎである。そこで彼は堺町に移り「算術指南」の看板を出して教育をはじめた。彼は古本の塵劫記一冊をもって、それからひろがってゆく彼の考えや方法を縦横に説いて生徒を教えたのである。その理はきわめて明快だったので、生徒の数もしだいにふえてきた。

たまたま久留島の門前を江戸に来ていた中根元圭が通った。元圭は名も知らぬ数学者、どんな人かと面会を求めて久留島に会った。久留島は恐れいった風で一言も発しない。元圭は算法についていろいろと論ずる。しばらくして久留島は言った。わたしはもう算法指南の看板をはずし、塾を閉じます。元圭は驚いた風で言った。始祖関孝和先生以後、あなたのようにすぐれた才力の方にはまだ会ったことがありません。どうかこれまで通り塾をおつづけ下さい、また時々おめにかかって算法のことを論じ合いましょうと約束して、元圭は帰っていった。

久留島は弟子に言った。今日は中根元圭という人が来て和算のことを話していった。その深遠なことは人間世界の考えとは思えない。天狗に会ったような気がすると、大いに恐れ驚いた様子だった。

一方、元圭は宿舎に戻り彼も門人に語った。今日久留島喜内という人物に会った。関流算法の大意を述べたが、彼は恐れいって黙ったままだったが、理解力の強いことはすばらしいものだ。まことに珍しい人であると。これから後、元圭の述べる関流算法を久留島は容易に理解し、また元圭の送る各種の問題をどれもたくみに解いてみせた。そして久留島は言った、数学は問題をつくることの方がむつかしい。これを解くことはその次のことであると。これは現代数学にも通ずる考え方であり言葉である。

享保元年（一七一六）、吉宗が徳川将軍となった。彼はようやく硬化しかかってきた幕府に、新しい武家的な活力を与えた人であった。ことに生産の基礎である農業には正確な暦の必要であることを彼ははっきりと知っていた。すでに保井春海によってつくられた貞享暦も、また多くの誤りをしめすようになった。そこで吉宗は春海の弟子猪飼文次郎（いかいふみじろう）にその理由をたずねたが、猪飼はこの質問にまったく答えることができなかった。そこで吉宗は建部賢弘に質問を発した。しかし建部は自分はすでに老人であるからと、中根元圭を推したのである。

そのころ中根元圭は京都で銀座の役人をしており、白山町に住んでいたので白山先生と呼ばれていた。吉宗は建部の意見に従って元圭を召し出した。元圭は江戸に出て吉宗の質問に答えたが、その解答は条理もあり立派なものだった。吉宗は元圭の答えに十分に満足した。元圭はしかもこれまで暦学の基本とされてきた中国の暦学の書物は、もはや十分でないことを吉宗に説いた。中国の暦学も明代にゼスイト会士が渡来してから改良され、やや見るべきものとなっている。ところが日本ではキリスト教を禁じられてから後は、天主とか利瑪竇（りまとう）

(マテオ・リッチ)などゼスイト会士の名のあるものは、内容がキリスト教に関係のないものまでも禁止されている。このために暦の基礎となるべき書物が少ない。将軍がもし日本の暦を精確にしようと考えられるならば、まずこの禁書令をゆるめられるべきである。

これは当時としてはかなり思いきった議論だった。けれどもこの元圭の意見を直接の原因として、享保五年(一七二〇)にはついに禁書令が緩和され、内容がキリスト教に関係のないものは、洋書、漢書ともにその輸入を許すことになった。

享保一一年(一七二六)、長崎に『暦算全書』が輸入された。中国、清朝の数学者梅文鼎(ばいぶんてい)の著書である。彼は外国語はできなかったが、渡来していたゼスイト会士らの伝えた西洋暦学について研究し、中国のものと折衷した学説をたてていた。だからやや時代おくれではあったが、西洋の暦学、天文学の知識がそのなかに盛られていた。吉宗はそこでこの書の和訳を建部を通じて元圭に命じたのである。

元圭は早くも一三年にはその一部の訳を完成した。さらに一八年(一七三三)正月には『新写訳本暦算全書』ができあがったが、ほどなく九月、元圭は京都で歿した。七二歳の老年であった。しかし彼は晩年まで暦の研究に熱心だった。前年の一七年五月には吉宗の命で、伊豆の下田、江戸の深川の地で日出の時刻や、太陽の高度を観測し貞享暦の精度をしらべた。また渾天儀(こんてんぎ)といわれる中国式の観測機械を改良したり、天象儀(てんしょうぎ)をつくって一年の天体の運動が直ちに判るように、一年を分ける二四節気のたびごとに鐘が鳴るような仕掛をつけたりした。

元圭が楽理の面ですぐれていたことも特記される点であろう。中国の音楽では古くから十二律といわれる相対音高が用いられていた。この十二律は宮、商、角、徴、羽の五つの絶対音高を三分の二倍または三分の四倍してつくられたものである。ところが第十二律までいったのちは第一律に復さねばならないが、それが従来の計算法では第一律に復することができなかった。これは中国の楽理では重大な問題として、多くの学者によって論議されてきていた。元圭もこの問題を研究し『律原発揮』を書いて、いわゆる平均律の理論を展開してこの問題を解決した。中国では同じころ康熙帝によって理論的にこれが復さぬことが明らかにされ、やはり平均律が求められた。そして『律呂正義』なる大作が生まれた。それは元圭と同じものだったが、元圭はこれと独立に、しかもはるかにあざやかにこの問題を解決したのだった。彼はそのほか日本の民間音楽の改良も企て、京都の楽人たちとともに事業に着手しようとしたが、協力者の死にあってこれは果たすことができな

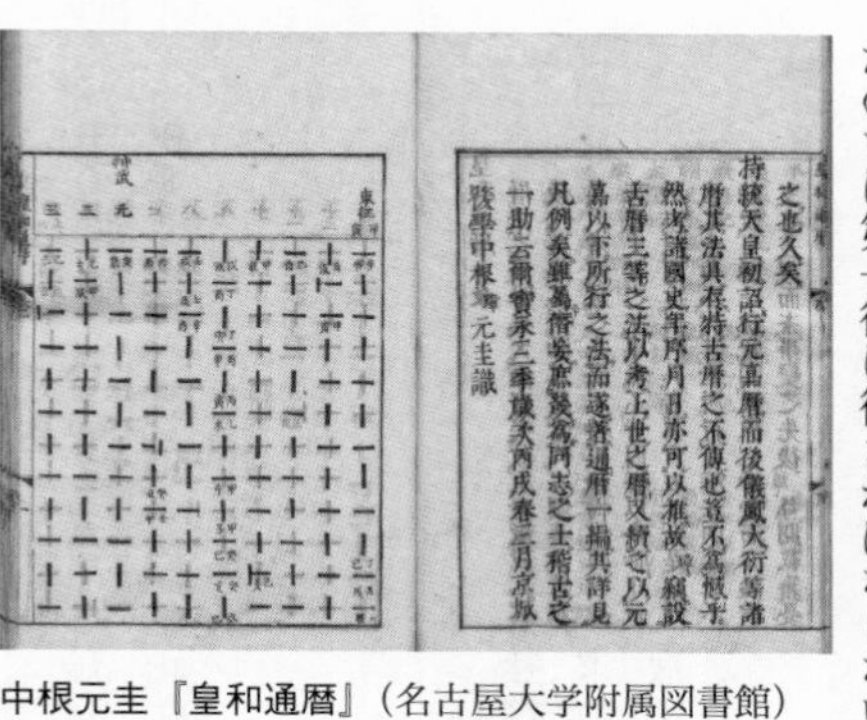

中根元圭『皇和通暦』（名古屋大学附属図書館）

かった。

元圭の門人からはじまった関流の一派は時には中根派といわれ、荒木、松永らの正統に対する傍系とみなされた。しかし正統の山路主住も一時は元圭の門人であった。元圭の子中根彦循も同じく関流の和算家となった。彼には『勘者御伽双紙』と題するものがあるが、これはめずらしく数学遊戯の書であった。そのなかにはたとえば一から一〇までの数字を使って、総計九九になるような式をつくることや、正方形を二つ以上ならべてゆくと矩形になる。これをいろんな風に切ってつぎ合わせて、ふたたび正方形にする方法などが説いてある。前者は小町算、後者は裁合せ物といった。また女子平方というものもある。二五を平方に開けばもちろん五。この五を求めるのに、二五から一、三、五、と奇数を順々に引き去って〇になるまで引き、引いた回数が答えとなるのであった。

会田安明

文政二年（一八一九）の一〇月、江戸の浅草観音の境内に算木塚が建てられた。三三名の建碑者によって、塚のなかには算木が埋められた。それは出羽の国の最上、今の山形県七日町に生まれた数学者会田安明の遺愛のものであった。碑は三回忌を記念したのである。碑文は当時有名な漢学者亀田鵬斎によって書かれた。

会田安明は通称算左衛門、自在亭と号した。幼いときからすぐれた才能をもって有名だった。一六歳の時に郷里の数学者岡崎安之について天元術などを学んだが二年でもう学ぶことがなくなってしまった。そこでさまざまの数学書を集め、また学者を訪ねて術を深めようとした。

しかし出羽の草深い地ではどうにもならない。彼はついに意を決して江戸に上った。二三歳の時である。しかし数学一本で研究するような余裕はない。そこで幕府の小役人となり、普請方の仕事などを務めながら、数学の研究をつづけた。彼はたえず江戸の数学者として知られる人びとをたずね歩き、算法についての問答をくりかえした。田舎出の彼にはそうして自分の才能をみとめさせねばならなかった。そして江戸の数学者の多くは、その力量が彼より劣ることも彼にはわかってきた。十余年の研究ののち、天明元年（一七八一）、三五歳の時彼ははじめてその研究を発表するために、芝の愛宕山に算額を奉納した。

東北の片田舎から出てきた無名の安明にとって、彼のすぐれた研究の結果を公示するのは、算額奉納よりしか方法がなかった。これによって名を売らねば彼は生きてゆけないのだ。しかも彼の研究は当時の主流の関流からはずれたものである。さらに彼は関流に進んで論戦をいどみそれによって自分を売り出さねばならなかった。三年後の天明四年、『当世塵劫記』が出版された。このころからは門弟もふえ、彼もようやく数学で自立することができるようになった。

安明は江戸の本所の六畳、三畳の二間しかないちいさな長屋に住んでいた。彼はようやく数学だけで食べられるようになると、もうほとんど外出しなくなった。そのために歩くこともできぬようになってしまった。

安明は従来の天元、演段術は乗法のみで除法がない。それでこれにまさる乗除自由の術を考えようと熱心になった。そしてついにみずから天生法と呼んだ方法を発見した。が実のところその本質は関の点竄術と同じである。しかし彼はいつも言っていた。自分の天生術は、夢のなかで神に感応して会得したものだと。そして彼は関流の天元之一を混沌之一と呼び、出身地にちなんで最上流なる流派をたてた。その算式は関流のものよりさらに簡易化され、ほとんど西洋のものと同じとなっている。

安明は恐るべき努力家だった。東西古今の算書をひろく読んだことでは、安明は最高であったようだ。彼は六〇〇巻もある伝書を書き、その他の著書も合わせると千余巻に達する大著述をつくった。ことに文化七年に書いた『算法天生法指南』は、すぐれた教科書としてひろく歓迎され、中国清朝の光緒二四年には中国で出版されたほどであった。

天明五年（一七八五）、安明は『改精算法』を刊行して関流の重鎮、藤田定資と論戦をはじめた。彼は二年前に早くもその原稿を完成し、同じ普請方にいた数学者で定資の高弟である神谷定令に見せた。定令はすぐに「改精算法正論」なる反論を書いて安明に送ったがこれは刊行されていない。

藤田定資はもと武蔵国の本田村に生まれたが、のちに大和国新庄の藤田定之の養子となった。雄山また四乳主人と号した。乳が四つあったからであるという。宝暦一二年（一七六二）、山路主住のもとで暦改正の手伝をしのちには久留米の有馬侯に臣事した。彼の有能ぶりは非常な評判であったが、独創性はさほどでないといわれる。

天明元年、『精要算法』を書いた。安明の『改精算法』はこれを対象として批判したものだ。定資はそのなかで「算数に用の用あり、無用の用あり、無用の無用あり」と説いた。用の用とは実用性のある数学である。無用の用とは直接的に実用とはならぬが、実用の基礎となるような数学である。そして無用の無用とは、現代でいえば真理のための真理といったものだ。ただ自分の才能をしめすことを目的として、さまざまの奇妙な問題を扱うことである。そして彼は用の用を中心として、これまで関流の秘伝とされていたものを、実用化した形式に改めて公刊したのであった。

定資の弟子は多く全国に散っていた。彼らは算額を奉納してその成果を誇った。安明が愛宕山に額を奉納したのも、この動きに刺激されたものかと思われる。定資は文化四年（一八〇七）八月、七四歳で歿した。

安明の挑戦に対しては、おもに神谷が矢面に立った。『精要算法』をめぐっていくつもの書物が書かれ、その一部は刊行された。しかしその論戦は数学の実質的な問題にはあまりふれず。文や小さな欠点をあばきたてるところも多く、数学としての実りをもたらすことはほとんどなかった。ついには論戦はきわめて感情的なところにまで走るようになった。神谷は

安明を、

「世の算法を己が邪術になさんと欲し、妄意に書を著し、良法を以て弊法となし、数の乱れ由て起る所なり、……邪説道に塞る時は、正道其伝を失はんことを恐る……」

と攻撃した。さらには、

「安明は力及ばざるものを論ずるが故に、術を施せば邪術となり、題を設れば病題となり、他を非れば己が誤に陥り、此れを上木すれば悪名をのこす、是れ己が其量を知らず、独学のついへ哀なる哉」（『撥乱算法』）

とまで書いた。これに対して安明は、

「……かの徒近頃撥乱算法を著はす、是れ潰散の余卒を以て恢復を計るに似たり、笑ふ可くの甚しきや……予ひとり是（関流）を弁斥するは、孤軍を引て百万の新加の敵に入り、百戦百勝破竹の勢をなすに似たり……」

と書き、「ああ愚なる哉、燕雀の輩、いかでか大鵬の志を量ることを得んや」（『算法非撥乱』）と記した。そして「関流邪術法之条目」までも添付したのである。

天下の主流だった関流に対抗して、独学した安明を盟主として始まった最上流は、それだけ団結は固かった。それは単に数学の面だけではなく生活をかけた論争でもあった。なぜなら当時の数学者は、塾を開くか大名に仕官するかで生活していたからである。一流の盛衰はそのまま彼らの生活に影響するものだった。こうして論戦は定資の歿するまで実に二〇年にも及んだ。しかし激しい論戦をつづけながらも安明は定資の才能を高く評価し、「藤田権平と申者、これあり、此の人天地開闢以来の名人にて御座候」とか「定資を讃へ海内の一人と云へり、宜なる哉、関孝和初め、其他五君子と唱ずるものも、定資には及ぶものなし」と述べたほどであった。

文化一四年、七〇歳で安明は歿した。しかし門弟に傑出するものがなく、最上流はそのまま衰えていったのである。

本草から大和本草へ
——貝原益軒——

貝原益軒といえば『養生訓』や『女大学』を思い出す人も多かろう。しかし益軒の学問は決してそのような道徳学者にとどまるものではなかった。彼はすぐれた朱子学者であり、本草、農、医から天文地理、歴史などほとんどあらゆる方面にわたって著述を残した百科全書的な学者だった。しかも彼の学は決して観念に走らず経験的な実学の立場を重んずるものだった。

彼は博多の福岡城内の父寛斎の役宅で、寛永七年（一六三〇）一一月に生まれた。名は篤信、通称は久兵衛である。はじめは損軒と号していたが、八二をこえた晩年から益軒と号した。そのため著書の多くは損軒の名である。父は黒田侯に仕える祐筆役だったという。禄高一五〇石だから、まずまずの身分だった。父は温和な人がらで、つつましやかな生活を送っていた。

益軒もまた幼い時からすぐれた才能のひらめきをもっていた。和算の初歩のテキストとし

て有名な『塵劫記(じんこうき)』が家にあった。ある日益軒の兄はテキストの見当たらぬのに気づいた。探してみると益軒がしきりにそれを開いていた。兄はとても弟がこの数学書が理解できるとは思われなかった。ところが弟の益軒は内容はよく判るという。そこで兄は弟をテストしてみた。益軒はソロバンを手にとって、塵劫記のなかの一問題をすらすらといてしまった。驚いた兄は父のところへ益軒をつれていって、事の次第を話した。父は「秀才は早死しやすい、この子の行先が心配だ」と不安がったという話が伝えられている。

貝原益軒

益軒は正式に学問を学ぶチャンスにめぐまれなかった。しかし年長の兄から漢字や漢詩を教えられた。が彼はそれだけではとても満足できなかった。しかしその頃一家は福岡から西へ一二キロも離れた地に赴任して住んでいた。土地がら書物はなかなか手に入りにくい。そこで益軒は知り合いから借りた『平家物語』、『保元物語』『平治物語』などの軍記物を読みあさり、また民間の日用辞書であった『節用集』などをたんねんに読んだ。だから彼はほかの学者のように、儒学の正統的な学問を学ぶ前に、日本の国文関係のものでその読書の基礎をつくった。彼が儒学を正式に学んだのは、藩命によって京都で学んできた兄が益軒一四歳の時に帰国してきたので、この兄からはじめて益軒は儒学を正式に教えられたのであった。

一九歳から彼は御納戸方という、藩侯の身のまわりのものを管理する役について出仕することになった。給与は四人扶持、しかし一晩おきの不寝番もあって苦しい勤務であった。また同じ年に藩主の参勤に従って父とともに江戸に出た。彼の最初の江戸生活である。その翌年には帰国したが、つづいて黒田藩の長崎警備に従ってまた長崎に赴いた。江戸、ついで長崎と、青年益軒にこの大都市の与えた刺激は大きかったことと思われる。

しかし益軒は長崎から帰国後、藩主の怒りにふれてついに浪人してしまった。そこで江戸にいた父を頼って江戸に出た。すでに彼は二六歳となっていた。その翌年、彼は新しい藩主によって許されてふたたび出仕することができた。やっと運がめぐってきたのである。学者としての一生を、彼はようやくふみ出すことができた。しかし禄はまだわずかに六人扶持しか与えられていなかった。

二八歳の四月、待望していた京都遊学の命が下った。京都に出た彼は山崎闇斎（あんさい）の講義を聞き木下順庵、向井元升（げんしょう）などと友人になったが、なかでも元升とは特に親しかった。しかもこの間に禄高も進んで二〇石となった。どうやら一人前の暮しとなってきたのである。

こうして彼は三五歳までほぼ京都に滞在して研学にいそしんだ。禄高も一五〇石となり、儒学者としての地位も一応確立することになった。　彼はそれまで中国の宋代に発達した二つの学派、朱子学と陽明学の両者について研究を進めてきたが、このころから朱子学を選んで、『太極図説』など朱子学で重視する書物の講義を行なうようになった。　そのために京都で古学派の祖として知られる伊藤仁斎にも会ったが、学風の差異によってさほど親交をむすぶことにはならなかった。

彼は数学や天文学についてはさほど興味をもたず、ごく一部分の書を読んだにとどまっている。しかし延宝六年（一六七八）に出版した『和漢名数』及び元禄八年（一六九五）の『続和漢名数』は、ともに数に関係のある名詞をあらゆる方面から集めたものだが、数学を実用的ならしめる便利な書物である。いつも実用を中心とすることは益軒の一特色である。一方で朱子学のような観念論の哲学をきわめながら、一面では数の実用性にふかい注意を払っているところ、彼のもつ多面的な才能を物語るものといえるだろう。

益軒はまたすぐれた旅行家でもあった。そのたびごとに彼はすぐれた旅行記を書き、その多くは晩年に出版された。彼の旅行記は中世のそれらのように文学ではなかった。各地の自然の美しさを記しつつ、物産や人情について客観的に描写していったのである。時には土地の経済事情にもふれ、古墳や古跡についても注意して、その構造を記しその意味を考えた。この点からみれば、きわめて近代的な旅行家であり旅行記であったといえよう。また藩命によって編集した『筑前国続風土記』も名著として名高い。この書のために彼は国内の各地を自分で調査をつづけ、原稿はいく度も修正された。編集は元禄元年（一六八八）にはじまり、益軒の自序は宝永六年（一七〇九）に書かれた。その間実に二一年、益軒は八〇歳であった。風土記は全三〇巻という大きな著作となった。もっともこれには彼の甥の貝原好古の協力も大きい。

益軒の友人は各方面にわたっていたが、そのなかには中村惕斎、向井元升、稲生若水らの本草学者があった。稲生若水の章でも記すように、このころの日本の本草研究家たちは中国側の記述をそのままとりあげないで、それを日本の実情と照合して調べようとする傾向をもちはじめていた。日本的な自主的な立場での植物や動物の研究がはじめられていたのであった。

益軒はこれらの友人やその著書から本草に対する興味と強い刺激を受けた。たとえば向井元升の書いた『庖厨備用倭名本草』は、加賀の大名、前田綱紀の依頼によるものだった。そのなかで元升は、中国の李東垣の『食物本草』と李時珍の『本草綱目』のなかにある動植物の食品約四〇〇種についての議論を展開したのだった。中国名に対しての日本名には『倭名類聚抄』によっているが、同時に日本産のものの実際についても自分の観察によって考証を進めたのである。単に書物に書かれてあることを比べるだけではなく、現実の物について比較考察したことは新しい態度であった。元升はこうした実際の知識を得るためには、「山老漁翁、俗間ニ之ヲ問フ」と自ら記したように、現場で働く人びとの知識を得ようとしたのである。

元升はそのほか日本に帰化して沢野忠庵と名乗った改宗者のキリスト教宣教師、クリストファ・フェレイラの記した西洋天文学書をまとめて『乾坤弁説（けんこんべんせつ）』をも書いている。この多方面にわたってすぐれた才を発揮した元升に益軒が会ったのは、藩から京都に派遣された二八歳の時であり、以後二人は親しい友人となった。

益軒は稲生若水とも親しく、京都ではしばしば薬草採集に一緒に出かけた。彼らは京都の北郊から東山一帯に採集の足をのばし、時にはともに盃を傾けることもあった。益軒は若水よりもはるかに年長で、当時はもう名の知れた儒学者であったが、若水に対しては謙虚に動植物関係について教えを求めた。

そのほか彼が刺激を受けた著書としては野必大（やひつだい）の著『本朝食鑑』がある。全一二巻だが動物を説くことのくわしいのが特徴とされる。彼は各地で産するさまざまの食品についてくわしく比較し、その分布についても記すところが多かった。彼もまた中国に産する食品と、日本に産するものとはちがうという前提に立って、各種の食品を論じつつ、両者の異同についてくわしく述べた。しかもそのデータは向井元升と同じように、自分で観察したことや人から教えられたことをもととしていた。実見し経験したことを重視する態度のなかで生きようとしたことは、向井元升たちと同様の態度だった。

中村惕斎は京都の人で、ほんらいは儒学者であり、そのすぐれた才能は伊藤仁斎と肩をな

『訓蒙図彙』らべるとまでいわれた。彼も多くの著書を残したが、そのうちでも全二〇巻の『訓蒙図彙』は有名だった。これは一種の百科辞書であるが、天文、地理から日常の各種の生産具、日用品、動植物などと多くのものについて図をつけて簡単な解説をしたもので、彼の博学ぶりのうかがわれるものであった。もっとも彼はこれを生物学の書として書いたのではなく、物の名称とその実際とを対照させて知識を正確にしようという目的から出発している。こうした考えは、中国にあった名物学といわれるものにもとづいたものだ。

このように経験をもととして、中国書の記述を再検討しようとする本草学者たちの態度を受けて、益軒もまた本草に新風を開こうとした。しかし益軒の学問はいつも実用を中心とし、それによって人びとになんらかの利益を与えることが中心となった。一般の庶民にまで及ぶ啓蒙主義が益軒の学風であった。漢文を用いず、和文で彼がいつも書いたのは、彼の主張の一端を現わすものなのである。

こうして『大和本草』一六巻が完成した。彼はまず李時珍の『本草綱目』を徹底的に研究し、これに訓点をほどこして刊行した。ついで彼はながい年月をかけて、しだいに『本草綱目』に記される中国の生物に対応する、日本の生物を収集していった。また自分でも草木数十種を栽培して、その実状をつぶさに観察した。そのほか各地への旅行の都度に標本を採集し、地方での実際の栽培や成長ぶりに注意をつづけて大量のメモが蓄積されたのだった。

宝永六年（一七〇九）、ついに大著『大和本草』が刊行された。彼が中国の『本草綱目』

に日本式の訓をつけて刊行してから、実に三七年ぶりのことである。おさめられた日本産のものは一三六二種あったが、なかには日本固有のものが三五八種、西洋のもの二九種もふくまれた。これらの産物には中国名のあるものはそのまま記述したが、日本固有のものは日本名だけで中国風の名をつけなかった。

益軒はこれらの天産物に新しい分類を与えた。彼は『本草綱目』の分類には多くの疑問や混雑したところがあるとして、彼独自の分類を立てた。もちろんそれは現在の生物や鉱物の分類とはちがい、魚を河魚、海魚に分けたり、鳥を水鳥、山鳥、小鳥、家禽、雑禽、異邦禽に分けたりするものだったが、すくなくとも現実の動物の生態を目標として分けたところに新しさがあった。

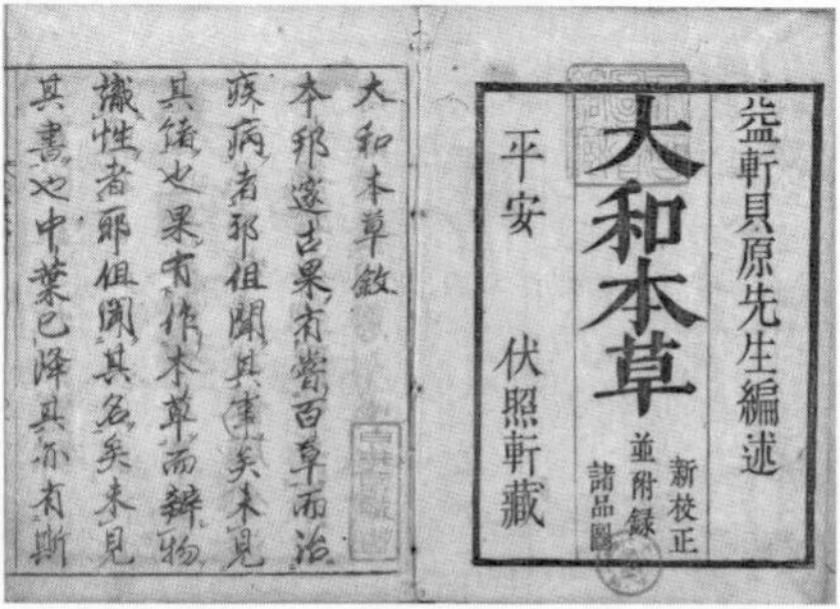

『大和本草』

魚類には約一二〇種が記載された。彼の魚に対する識別力は今日からみてもかなり確かであるという。それでもサンショウウオ、クジラ、タコなどが魚類に入れてあるのは当時の知識や魚という概念からみてやむをえないことであろう。虫類は陸虫、水虫と分けられ、ヤモリ、ヘビなどは陸虫とされた。また外国産のものとしてはクジャク、ヒクイドリ、キュウカンチョウなども記されている。日本古来の伝説上の動物河童(かっぱ)もあるが、これは彼がやはり伝統的な伝説の枠から完全に脱出できなかった一証ともみられる。

益軒はそのほか『花譜』『菜譜』の植物書も書いた。彼は『花譜』のなかで、君子が花を愛し育てるのは天地の万物生成の原理が現われるのを見るためである、と説いた。『菜譜』では人民の日用にあてるためにこの書をつくるのだと記した。この二方向が彼の学問の根本的な態度であり、同時にそれは朱子学のもつ側面でもあった。自然の現象のなかにいつも万物生成の理——それは科学的な法則の意味ではなく存在の原理であり、物の本質にある原理できわめて哲学的なもの——を発見しようとするのが、君子(知識人)の学問なのであった。同時に儒学を修めたものはその学問によって庶民を啓蒙し指導しなければならない。この意味では儒学はそのまま政治哲学であり、為政者の道徳と倫理の学である。益軒の生物学、博物学の根底にあったのは、まさしくこうした朱子学のもつ学問論なのであった。けれども益軒は後には『大疑録』を書いて日本の朱子学批判の最初の人となっている。

しかし朱子学者としての益軒は、幼少の時に養われた国文に対する興味も失っていなかった。彼は中国の書物とともに、日本の書物、国文で書かれたものにもたえず注意していた。神道にもふかい関心をもち、神道と儒学の一致論をも考えたという。彼によると日本は中国を除いてはすぐれた立派な国であるが、学問、文学では中国に劣ると評価していたのだった。

益軒が八四歳の高齢となってから出版したのは、あの有名な『養生訓』である。それは彼のながい一生の間から帰納された医学論でもあり、人生論でもあった。彼はこの書において人間を気の一元論から説いた。人間は天地の元気をうけて成立するものである。そのためにはたえず気の消耗を防ぎその充足を求めねばならぬとする。そして飲食、飲茶、煙草から用薬、養老、灸法などの各項目について、具体的に実際的に解説がすすめられた。『養生訓』は非常な評判となり多くの版を重ねることになった。

正徳四年（一七一四）、益軒は八五歳となった。しかし正月以来、彼の健康はすぐれず人にも会うことができなくなった。『大疑録』に最後の朱筆が加えられて訂正もすんだ。手足はしびれ彼は床についたままとなった。八月、この百科全書的な博学者、しかも啓蒙主義によって終始した大学者は世を去ったのである。

本草から博物学へ
――稲生若水・小野蘭山――

徳川家康は天下を統一したのちは、文治主義によってその政治をすすめていった。彼は多くの古書、古記録をあつめ、また書物の出版にも熱心だった。やがてそのコレクションが大量となったので、幕府は江戸城内の富士見亭に文庫を建ててコレクションを保存することにした。家康は将軍職を子秀忠にゆずって駿府（すんぷ）（静岡）に隠退したのちも、江戸城内の文庫に欠けている書物を補充することに熱心だった。

寛永一六年（一六三九）、文庫は城内の紅葉山に移されて、紅葉山文庫（楓山文庫）と呼ばれるようになった。

駿府から江戸に贈られた書物のうち、元和二年に贈られた分は「駿府御文庫本」といわれたが、そのなかに中国の明代に刊行された李時珍著『本草綱目』（四〇冊）がふくまれていた。これは家康のブレーンの一人だった、儒学者林羅山（はやしらざん）（道春）が、長崎で購入したものである。

林羅山は京都五山のひとつ、建仁寺に育った僧だった。彼は京都の名門公家、冷泉家の出身で同じく五山のひとつ相国寺の僧、藤原惺窩（せいか）の門人だった。年少の時から多くの漢籍を読破し、その力は師に劣らぬとまでいわれていた。この師弟は儒学をこれまでの京都の公家や五山の僧侶たちの独占から解放しようと考えた。そこで儒学の聖典とされる四書五経類に、惺窩は返点や送り仮名を付けて読み方を分りやすくし、羅山は「論語」の公開講義をしたりした。

羅山は慶長一〇年（一六〇五）、家康にはじめて会ったが、彼はこの時家康の質問によどみなく答えてその才学ぶりを知られるようになった。家康はこののち、儒学に関するよきブレーンとして羅山を重用するようになった。羅山が家康の命を受け、長崎に中国商人のもちこむ新来の書物を集めに出かけたのが慶長一二年。『本草綱目』はこの時に購入されたのである。家康はこの書物を得たことを非常に喜んだ。慶長一九年（一六一四）四月、安藤対馬守が駿府の家康のもとに御きげん伺いに出た時、家康はこの書は江戸にないものだからと、全部を持ち帰らせた。この四〇冊の『本草綱目』は初版本、しかも羅山が買いいれたのは、初版刊行後一一年のことであった。

いったい『本草綱目』とはどんな書物か。中国では古くから薬物学が発達していた。動植物をはじめ鉱物その他多くのものについて、その薬効や使用法がくわしく研究された。これが本草と呼ばれたものである。

本草の体系づけをはじめて行なったのは、五—六世紀の人、陶弘景であった。彼はそれ以前から伝わっていた『神農本草経』を整理し統一した。そのなかには三六五種の薬物が記され、上、中、下の三分類が行なわれている。上薬は延命長寿、不老軽身の神仙となる効能をもつ薬物、中薬は強壮剤、下薬は病気用である。また三六五の数は、いうまでもなく一年三六五日に対応するもので、古代の医薬にひそむ呪術的性格の反映である。そののちこの本草は、中国独自の発達をみたが、それの主要なものはそのまま日本にも輸入されて、一部の人にはよく知られていた。しかしそれも多くの人びとの興味をひくこともないままに終わっていた。印刷術も未発達であり、知識は極限された世界の人びとのものにすぎなかった。ただ中国では宋代からは出版事業が盛んとなって、ようやく知識の拡散がはじまったのである。中国の読書人といわれるインテリ階級の成立も、出版が一面に新しい事業として各地で活発な動きをみせはじめたことに支えられるものだった。

この伝統的な本草に新生面を開き、一方で伝統を集大成しようとしたのが、明の李時珍だった。彼は湖北省蘄州の人、一六世紀のはじめ頃医師の家に生まれた。中国では官吏となり中央で立身出世するためには、科挙という一連の試験システムをパスしなければならぬ。しかし彼は三度も落第した。立身をあきらめた彼は、家に閉じこもって本草の研究に没頭した。そして約四〇年の努力ののちに、ついに大冊『本草綱目』を完成した。しかしそれが実際に出版されるころに時珍はもう年老いて世を去った。初版本は万暦二四年（一五九六）時珍の子の建元から皇帝神宗に献上された。

時珍の『本草綱目』は、まずその分類においてすでに革命的だった。彼は伝統的な上、中、下の三分類や、玉、石、草、木などと十部に分ける方法をとらなかった。全体は一六部六〇類、一八九二種の薬物をおさめた。それはまったく独創であり新風だった。分類は水、火、土、金石から禽、獣、人などとされて、時珍は敢然と伝統を否定した。

水火は万物に先だつものとしてトップに置かれた。土は万物の母としてやはり最初の方にある。植物は草、穀、菜、果、木と小から大にならべられ、虫、鱗、介から人に至る動物は、賤から貴へのならべ方であると時珍はいっている。けれどもこの革命的な分類にかかわらず、記載された内容の中心はやはり伝統的な文献を主としたものであった。時珍の引用する文献は実に九五二種、知識の流通はすでに相当高程度に行なわれていたことを物語るものだ。

家康はこうした本草に興味をもっていた。林羅山はこれにこたえて、『本草綱目』の抜き書きをつくった。今や『本草綱目』は江戸の学者たちのひとしく注目するものとなった。寛永一四年（一六三七）、はやくも訓点のついた日本版が出版された。中国で初版が刊行されてわずかに四一年後のことである。ところがそのもととなったのは、第三版のものだった。

初版以来、中国での刊行とともに、日本にも多くが輸入されていたことが察せられる。つづいて承応二年（一六五三）、正徳二年（一七一二）とあいついで数種の日本版が刊行された。大冊の『本草綱目』がこのように多量に出版されたことは、需要がいちじるしくのびたことを物語っている。幕府のもと、日本は統一されたひとつの安定期に入っていたのだった。

稲生若水

京都の南、淀の領主永井侯の明暦年間のころの医官は稲生恒軒（いのうこうけん）であった。元年（一六五五）、恒軒に一子が生まれた。名は宣義（のぶよし）、通称は正助と呼ばれることになった。この子は生まれつき、きわめてすぐれた才能のあることをしめした。生まれたのは江戸の藩邸だったが、一一歳に大坂に移り古林見宜（ふるばやしけんぎ）について医学を学んだ。また本草は福山徳潤が師であった。一六歳からは京都で伊藤仁斎の門に入り、儒学も修めたのである。しかし不幸にも延宝年間、主家の永井氏は断絶することになり、宣義は浪人となってしまった。そこでやむなく京都で塾を開いていた。二六歳の時である。彼は号を若水（じゃくすい）といった。

二二、三歳のころのことである。若水は中国の『皇明経世文編』を読んだ。するとそのなかに日本を論じて、日本は何物にも不足しないがただ薬物を産しない。そこで明国から輸入しているとあった。事実、中国から多くの薬物が、長崎に持込まれていたのである。若水はこれを知って深く心を動かされた。しかし日本の自然の様子をみると、決して薬物がないとはとても考えられぬ。日本にもきっと中国に劣らず薬物があるにちがいない。ただ調査されていないだけだ。もし精しく調査すれば、これまで輸入していたもののなかにも、国産で間にあうものがあるかもしれぬ。

それに中国の書には朝鮮の人びとの名はよく出てくる。しかし日本人の名はまるで引かれない。これは日本の恥だ。自分はひとつ本草の大著をつくり、それにいっさいのものをふくませ、古来の真偽を正したものとして中国へ逆に送りこんでやろう。こうして、「大日本国文華ノ盛事ヲ著シ――」（『庶物類纂編緝始末』）てみようと、若水は決心したのだった。

稲生若水

ところが若水は貧しい浪人の身である。とてもこのような一大著述に専心する時間はない。けれどもやがて若水の才をみとめる有力者が現われた。加賀藩主、前田綱紀（松雲）である。

松雲は好学の大名として有名だった。彼は多くの古書や古記録を集め、また諸家に所蔵される文書を借りだしてこれを筆写させて、一大コレクションをつくっていた。尊経閣文庫という。松雲は書物や文書を借りた場合、もしそれが痛んでいると、必ずていねいに修覆してから返還した。そのためにどこの家も前田家だけには貸し出すことを歓迎したため、収集は一層進んだという。また「百工比照」と名づけた、各種の工芸品のサンプルを集めた大コレクションをつくった。尊経閣も「百工比照」も今日伝わっており、江戸期の文化を知る重要資料となっている。またみずからも、『桑華字苑』とか、『草木鳥獣図考』などの書物を編集した。

同時に有名な学者たちのパトロンとなって、大部の書物を編集させることも多かった。この松雲が元禄七年（一六九四）、若水から献上された『金沢草木録』、八年の『食物伝信纂』に眼をつけたのである。松雲もまた『本草綱目』が決して完璧な書物でないことを知っていた。そこで彼はこの努力家の学者に、本草綱目をこえる大著作をつくらせようと考えたのである。

若水はしかも単なる文献や書物ばかりをあさる学者ではなかった。彼はもともと生物の実際について調べることに強い関心をもっていた。そのため山野に出かけて生物を自分で調べることも多かったのである。こうして中国の書物に記録されている動植物のうち、一二〇〇種ほどは日本に産出することが判ってきた。そのためには遠方の場合は、時にはわざわざ実物を取り寄せて調べることまでした。

今や若水は新しく大きなパトロンを得て生活も楽となった。勤務もさほどのものではない。有名な『庶物類纂』の編集はこうして開始された。元禄一〇年（一六九七）三月のことである。しかしこの大事業が三六二巻まで進行した正徳五年（一七一五）の七月、不幸にも若水は病死してしまった。若水の計画は全二〇〇〇巻にも上る大部のものであった。中国の書物中にみられるあらゆる動植物に関する記事を集めて、これを分類するのが彼の方針だった。彼の用いた中国書は一七四種もあったという。

松雲前田綱紀はこれを惜しんで、弟子の内山覚仲たちにその仕事を継続させた。ところが松雲もまたほどなく亡くなってしまった。一方、将軍吉宗は早くこのことを知って若水の完成した分を、幕府に献上させていた。今や綱紀も歿したので、吉宗は幕府でこの事業を続けることを命じ、『庶物類纂』編集の事業は享保一九年（一七三四）に再度開始された。中心となったのは若水の門人丹羽正伯、内山覚仲、若水の三男新助である。元文三年（一七三八）、六三八巻が完成し、さきの完成分と合わせて一〇〇〇巻ができた。正伯は加えて五四巻の増補分をつくり計一〇五四巻となった。

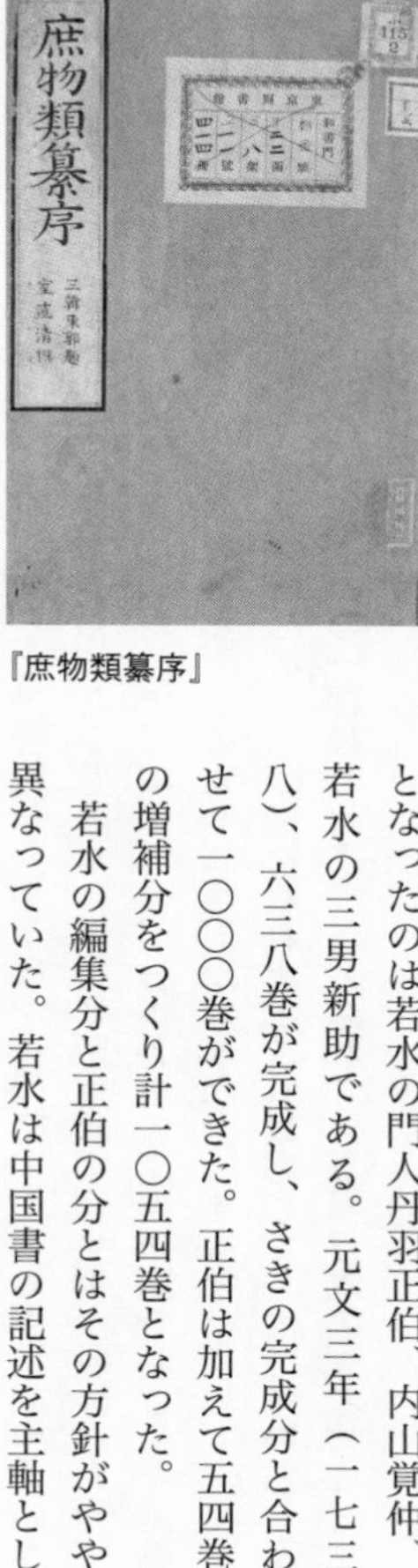

『庶物類纂序』

若水の編集分と正伯の分とはその方針がやや異なっていた。若水は中国書の記述を主軸として仕事を進めた。けれどもそれは、『本草綱目』とはちがった博物学的な見解に立つものだった。本草はどこまでも薬物学である。しかし若水は薬物に限定せず、生物全般にわたっての整理を行なったのだった。これに対して丹羽正伯は、日本各地の産物を調査しこれを主軸として編集を進めようとしたのである。このために幕府から享保一六年（一七三一）三月、諸国の物産を調査し報告するようにとの命令が発せられた。これに応じて各地で産物志、産物絵図と呼ぶものがつくられて、その一部は今日まで伝えられている。日本の天産物に対する新しい認識としてこの事業は注目される。

けれども完成した『庶物類纂』はあまりに巨大な編集物であり、しかも幕府に納められてしまったこと、さらにその文体が漢文であることなどから、ほとんど人びとの眼にふれるものとはならず、その名のみ有名で実物について研究できぬものとなってしまったのである。

小野蘭山

稲生若水によって、本草は薬物学の限界をこえて博物学の段階にまで進むこととなった。この日本的な博物学に一応の完成を与えたのが、若水の孫弟子にあたる小野蘭山であった。彼は京都の人、享保一四年（一七二九）八月生まれ。少年時代から無類の植物好きだった。一一歳の時、中国の植物書『秘伝花鏡』をみたが、それを読破するだけではなく、ついに全部を写してしまうという熱心さだった。そして一三歳から若水の弟子、松岡玄達（恕庵）のもとで本草を学びはじめたのである。

彼は天性の学問好きだった。学者として大名諸侯に仕えることなどは考えもせず、二五歳、京都の河原町竹屋町に衆芳軒と称する塾を開いて弟子を教える以外は、ただ一意専心、本草の研究に没頭した。いつも夕方の戌の刻（午後八時頃）には就寝し、深夜の丑の刻（午前二時頃）に起きて六畳一間の書斎に閉じこもって、勉強したのである。その日課は一年四季を通じてすこしも変わることがなかった。外出するのは植物の採集に出かけるときのみ、という有様だった。家計のことや、弟子の納める謝礼などいっさいは、召使いにまかせてしまい、世事にはすこしも関心をもたなかったのであった。しかしそのすぐれた学力はいつとはなしに世間に知れて、多くの弟子が各地から集まってきたが、蘭山はこれらの人びとに熱心に本草を教授しつづけた。

小野蘭山

本草のみを専門とする学者は当時まだ生まれていなかった。寛政一一年（一七九九）、幕府はその名を聞いて幕府の医官に任用することとし、彼を江戸に召し出した。蘭山を推したのは、動植物に興味をもち蘭山とも親しかった幕府の若年寄、堀田正敦であった。けれども蘭山は、書斎で専心研究することに愛着をもち、幕府に仕官することをあまり喜ばなかったという。時に蘭山は七一歳であった。

江戸に出た蘭山は、幕府の命によって、各地へ五度の採薬旅行をした。植物の採集や観察のための旅行である。第一回は享和元年（一八〇一）、江戸から東北地方の調査であった。筑波山から日光、男体山など、四一日にわたる大旅行である。七三歳の老人でありながら彼はすこぶる元気であった。

第二回は同年秋で富士山を中心とした周辺の地域だった。富士山にはすでに雪があった。そのために登山は六合目で断念せねばならなかった。これも四一日の旅である。

翌年の享和二年、蘭山は第三回の旅行に出た。これは日程九六日という大旅行である。江戸から大坂、ついで紀州方面を廻り、伊勢から奈良、京都、中山道を経由して信州から江戸に帰った。

蘭山は少しも衰えず元気であった。文化元年（一八〇四）七六歳で東海道を府中まで行った。ここで安倍川の洪水のため休止し、ついで桑名から大垣、木曾、中山道から江戸に戻った。八月から一〇月までの旅行である。

その翌年の文化二年の六月には、熊谷から妙義山、伊香保など北関東の地域を調査した。二〇日間の旅である。この五回にわたる大旅行によって、日本各地の植物の生態はかなりに明らかにされた。また彼は至るところで蘭山の教えを受けた弟子に迎えられ、またてみじかな講義も行なっていった。

江戸での蘭山の暮らしぶりは京都の頃とすこしも変わらなかった。幕府の医官、多紀元簡の記したものにはこうある。


「ある時先生の書斎にうかがった。書物がならびまた高低さまざまに積上っている。いろんな薬物が袋や筒に入れられて置いてある。玉の破片、奇妙な形の石がごろごろしている。草木の花や実や根、鳥や魚や虫の類などの標本もころがる。棚には盆栽がならび、押葉にした植物標本が壁にかかっている。また絵図にしたものの巻物や冊子、拓本類、古い器物、オランダ渡りの品などがいっぱいにちらかっている。先生はそのなかのわずかな空間に坐って書物をひろげていられる。時には独酌をたのしみつつ詩を作ったり、笛を吹いて心をなぐさめていられる。みずから悠々とたのしまれるところは、まさに仙人のおもかげがある。」（原文、漢文）

江戸での蘭山の身のまわりは、彼の孫とその妻が世話していた。ところが蘭山はこの妻にもいっこうに無関心だった。三年もたってからようやく、この見なれない婦人は誰かと聞いて人びとを驚かせたとまでいわれる。彼の仙人ぶりは徹底したものであった。

蘭山は門人たちにこれまで権威とされた本草書をテキストとして講義した。貝原益軒の

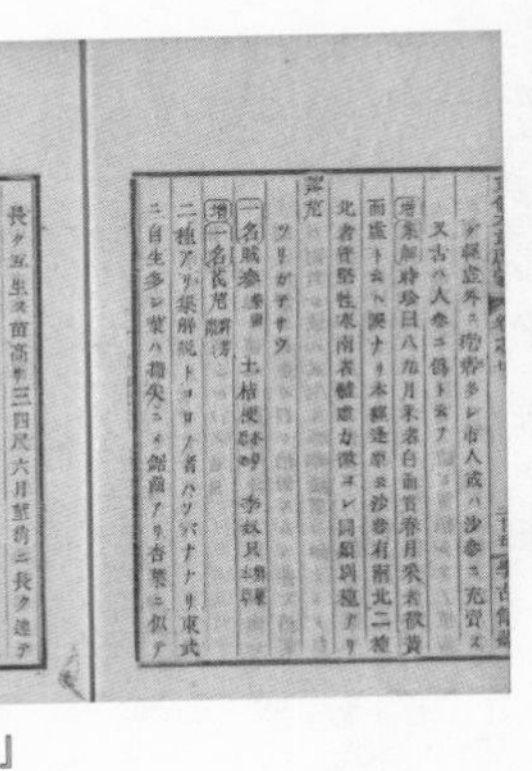
『重修本草綱目啓蒙』

『大和本草』、中国の李時珍の『本草綱目』などがそのおもなものであった。門人たちはこの講義をていねいに筆記し整理して伝え、その一部は出版された。そのうちでも有名なのが、『本草綱目啓蒙』であった。

『本草綱目啓蒙』は四八巻、すぐれた大博物志だ。明治以前に四度も出版されている。全体の構造は『本草綱目』の解釈、注釈という体裁だが、内容は実は蘭山のながい研究の結晶であった。

しかも全体が国文で書かれているので、人びとに親しまれやすいスタイルであった。その内容が注釈をこえたものであることは、当時の人もはっきりと認めていた。分類は『本草綱目』にならってある。けれどもその内容はほとんど蘭山のあつめた材料による、自由なオリジナルな見解にみちていた。ことに珍しいのは生物に関する各地の方言が記されていることだ。全国に散在する門人、あるいはしばしばの彼の旅行によって、これらの資料は集められたものだろう。

また動植物の形態やその生態などについてはくわしい。それらはどれも実地の観察によったものばかりであった。文献のみにとらわれず、現実の日本の植物について検討すること、そしてそれを重んじること、近代科学のもつ実験重視、経験重視の方法を蘭山はすでにわがものとしていたのだった。

蘭山の最後の著作は『広参説』だった。そのうちに彼はついに病床についた。病のなかで彼はこの書を書きあげてしまった。そして死の間際まで文の訂正を怠らなかった。しかし最後にはもう筆がもてなくなった。孫に命じて数字を修正させたまま、蘭山は八二歳の生涯を終えた。文化七年（一八一〇）、正月二七日のことである。

日本暦の誕生
——渋川春海——

慶長一〇年（一六〇五）の八月一五日、暦には月食があると記されていた。しかし月食はない。将軍の徳川家康はこれを怪しんだ。そこで暦の製作を職とするものを呼んでこの理をたずねたが要領を得ない。家康は怒ってこの暦官を追放してしまった。リアリズムに鍛えられ、現実の価値を信条として生きてきた戦国武将にとって、紙の上の虚偽は堪えられなかったのであろう。

事実、そのころの暦に記されている日、月食はほとんどが不正確だった。日本の支配者たちは中国ほど暦について関心をもたなかったらしい。清和天皇の貞観四年（八六二）から宣明暦が用いられるようになった。中国、唐代に作られたもので、それがそのまま日本に伝えられたのである。宣明暦はそれ以後ずっと日本で用いられつづけた。その間実に八百余年である。宣明暦はかなりすぐれた暦であったが、しだいにその誤りが大きくなり八百年もたつと、暦の上に記されたものと実際の天象とは、実に二日以上も差を生じることになってしまった。家康の怒りももっともである。このながくつづいた暦の誤りを正し、はじめて日本人による暦を完成したのが渋川春海（しぶかわしゅんかい）であり、貞享暦（じょうきょうれき）と呼ばれるものであった。

渋川氏は畠山氏の末の名族、足利義満のころには有職（ゆうそく）をもって聞こえていたといわれる。春海の父算哲の時から、囲碁によって仕えることになった。このころは安井氏を名乗っている。そこで春海も安井と称し、保井の文字を用いたこともある。安井氏は以後明治に至るまで、本因坊家とならんで囲碁の宗家であった。

春海は幼名六蔵、寛永一六年（一六三九）京都の四条室町の家で生まれた。一四歳からは父の跡をついで碁所に出仕することになった。その勤務は秋、冬は江戸に勤め、春夏は京都に戻るものだった。少年ながら囲碁の面でもすぐれた才を彼はみせたということだ。

春海にも多くのすぐれた学者と同じように、幼少のころから人びとを驚かせた話が伝わっている。こうした逸話はつきものなのだが、それらをすべて作り事とし、後の世の付加物と斥けることもない。江戸時代、ことにその初期にあっては、春海のような知識人、ことに天文数学といった一般の人にはまことに縁遠い学問をする人は、たしかに異常の人だった。常民とはみられなかった。従ってその異常さを強調するために、この種の話が拡大されて伝えられたのだろう。それはなにも春海を偉大とする考えではない。むしろ春海が通常の判断をこえた特殊人であることを強調しようとするためにつくられたのだ。ほかの知識人たちの場合も同様である。

一二、三歳のころであった。彼は父親に言った。わたしは三年間北極星をながめてきました。そして北極星が少し動くことを知りました。ところが前に北極星は不動と教えられましたがなぜでしょうか。父は答えた。古人は以前から不動と言っている。だがお前はどうして動くのを知ったのか、春海は答えた。わたしは竹の間から星の位置を測り、それが動くことを知ったのです。試しにやってみられたら如何ですか、父は驚いて言った。古人の安倍晴明は星の化身であるといわれた。ところがお前は一二歳ですでに古人の言を否定する事実を見つけた。お前は北極星の化身なのか——。

一四、五歳の頃からは山崎闇斎について神道や朱子学を学び、ついでは安倍泰福(やすとみ)について忌部(いんべ)、卜部(うらべ)、吉田、伊勢などの神道を学んだ。彼は闇斎からは人生を具体的な事実においてとらえてゆくことを学んだ。その学風は事実によって新しい暦を創出しようとする、のちの彼の貞享暦研究の態度に反映してゆく。また神道の説にふかく注意したことは、暦の意味を知り暦を日本の歴史の上に位置づけようとする態度を、生むことになったのであろう。

春海はまた天文暦学を松田順承、岡野井玄貞(げんてい)について学んだ。岡野井玄貞の本業は医師だったが、彼は中国元代に作られた授時暦(じゅじれき)についての知識をもっていた。授時暦は元の郭守敬たちがつくった暦である。郭守敬は新しい観測器械を用いてデータを整理し、計算法においても新機軸を出して、中国暦のうちでも特に注目されるすぐれた暦を作った。春海は岡野井によって新しい授時暦にふれることができた。はじめて彼は観測の必要性を知った。そこで万治二年（一六五九）二一歳の時、山陰、山陽、四国でその緯度を測定してみたのだった。

寛文七年（一六六七）春海二九歳の時、彼は会津藩主保科正之（ほしなまさゆき）に招かれた。保科もまた神道に心を寄せる一人だった。正之は春海に会って会談のうち、話は天文、暦学に及んだ。そして現行の宣明暦の不確実なこと、新しい元の授時暦、明の大統暦のすぐれていることが語られた。正之はその実証をみたいと望んだ。そこで春海は寛文九年の冬至の日、棒をたててその影の長さを調べ、宣明暦の誤りと、授時暦、あるいは大統暦の正しさをしめしたのだった。

このころ春海は春秋長暦の問題を研究しはじめた。中国には孔子が編集したとされる『春秋』と呼ぶ古い史書がある。春秋は二四二年間にわたる歴史だが、そのなかには七〇〇の月、三八九の日の干支と、三六個の日食の記録がある。これをもとにして当時の暦の構造を復元しようとするもので、中国でも古くからこの試みが行なわれた。春海はこの問題に取り組んで『春秋述暦』を著わした。その内容は今日からみれば、必ずしもすぐれたものではないが、天文、暦学を一個の学問とみてこうした問題意識をもったのは春海が最初であった。

寛文一〇年には「天象列次之図」と題する天文図を刊行した。朝鮮で刊行されたものを改良したものである。また同じ年に観測器械としての渾天儀を製作した。渾天儀は中国古来の観測機械で、天球の経度、緯度を現わす円環があり、そのなかを四遊環と呼ぶ環が回転して、星の位置を測るものだ。春海の作ったのはその簡易なものであった。また天球儀を作ったが、それは直径一尺二寸、今の天球儀と同じように多くの星を画き、黄道には三六五の孔をあけておき、これに日月五星をさしこんでその運動も知られるようにした。

彼はまた地球儀も作った。中国に渡航していたゼスイト会士マテオ・リッチ（利瑪竇）の製作した世界地図が、早くも日本に渡来していた。春海はこれを球上に画きこんで地球と呼んだ。また日本地図も作ったがその細部については判らない。

保科正之は宣明暦の不たしかなことから、改暦の必要なことを早くから気づいていた。寛文一二年（一六七二）の一二月一五日、暦には月食が記されているのに実際には起こらなかった。この事件で一時に改暦論が起こるようになった。正之はすでに歿していたが、その遺言によって安井算哲、すなわち春海を用うべきことが幕府では定まっていた。命に応じて春海は寛文一三年、改暦を望む一文を天皇に奉った。江戸時代、天下の実権は幕府にあったが、暦は王朝以来の伝統によって、形式的に天皇の勅命で定まることになっていた。そのため春海の上表文もまず宮中に奉られたのである。

彼はこのなかで宣明暦はすでに二日のずれを示していることを論じた。彼は中国式に長さ九尺の棒を垂直に立て、その影の長さで冬至の日と時刻を測ったのであった。そして宣明、授時、大統の三暦を比較し授時暦が最も正確であることを論証した。ところが延宝三年（一六七五）五月一日の日食を、授時暦では日食なしといい、宣明暦では二分半と記し、結果は宣明暦が合致していた。ようやく授時暦を目標とした改正の機運の起こっていた矢先、このミスは手痛いものであった。改暦が中止されたのはいうまでもない。

春海はここでふたたび日本の古暦に関する研究にとりかかった。彼が改暦についての大失敗からようやく立直ったのは、山崎闇斎によって指導された垂加神道の信仰だったらしい。彼はこれによって精神的な打撃から回復し、さきの『春秋述暦』と同じように、日本書紀以来の歴史にみえる干支や日月食を整理して『日本長暦』をつくった。完成は延宝五年（一六七七）であった。彼はまたこの年「天文分野之図」を刊行した。全体は中国式のものであったが日本での観測によって修正し、また天象に対する地域は、日本の各国をもって割りつけ

「天球儀」（上）、「地球儀」（下）（ともに春海作、神宮徴古館蔵）

ていった。中国のものを日本的のものに改めようとする彼の意識が、明白にみられるものである。

これらの研究につれて、暦に対する彼の考えもしだいに固まっていった。彼はもはや宣明暦の代わりに授時暦を用いるのでなく、自分の独創により日本に適合する暦を作ろうと考えるようになった。こうして出来上がったのが「大和暦書」であった。天和三年の一一月冬至の日、春海は意を決して再度、改暦を望む上表文を奉った。彼はそのなかで宣明暦の誤りを指摘するとともに、自作の新暦、すなわち大和暦の採用を願った。しかもこの一一月、宣明暦は月食を予報したがこれはまったく合わなかった。これらの事情から改暦の議が決定されて、霊元天皇の勅命によって土御門泰福が新暦を製作することとなった。土御門家は代々暦の宗家とされていたからである。泰福は以前から春海の研究をよく知っていた。彼はすぐ春海を江戸から呼びよせようとした。一方、春海の暦学上の研究は、幕府の有力者の間でもよく知られていた。そこで幕府もまた春海を推し、春海はいよいよ土御門泰福と新暦を作ることとなった。

春海はもちろん自分の製した大和暦を、日本独自のものとして用いようとした。しかし多くの意見は中国のすぐれた暦を採用する方に傾いた。文明のすべてについて、中国を祖型とする考えはきわめて強かったのである。貞享元年（一六八四）三月、ついに明の大統暦を採用するとの話が出た。

春海は奮然として三度めの上表文を奉った。彼はそのなかで「大統暦」の欠点を正確に述べ、暦はその土地によって法をたてるものであることを力説し、自作の暦の正しさを説いた。さらに京都の梅小路の地に八尺の鉄棒を立てて、土御門泰福とともに毎日の影を測り、大和暦の確実さを実証した。その結果、一〇月二九日、再度詔があって春海の大和暦を用いることが決定された。その名を「貞享暦」とすることも勅書によって定められた。春海は暦面についても工夫をこらし、日本色をもりこむようにした。たとえば気候についても、中国の「始電」を「桜始開」に改め、そのほか梅初黄とか山茶始開、水仙開など日本人に親しい表現を用いたのである。また八十八夜や二百十日は、中国の暦にはないものだが、彼は伊勢の船頭が、八十八夜をすぎると天気は安定して海もおだやかになるし、二百十日の前後には必ず大風があり、海上生活をする者はぜひとも知っていなければならない、との申出によってこれを暦に入れたのだった。

貞享二年（一六八五）五月の月食は貞享暦の最初のテストだった。授時暦と貞享暦の予報はその欠けはじめの時刻がちがっていた。当日、実際に食がはじまると時刻は貞享暦が合致した。しかし当時の儒者はやはり中国を本とし、暦面の記載が中国式でないことを非難するものも多かった。なかには中国では暦官が一五人、いつも連署して暦の製作の責任を明らかにしている。ところが貞享暦は春海一人である。これではきっと間違いが多かろうという者さえあった。しかし春海は少しも動ぜず、かえって中国の暦に誤りのあることを指摘し、時には中国に書を送って誤りを述べようとして、林大学頭に止められることのあるほど十分の自信をもっていた。

貞享暦の完成した一二月、幕府は春海の碁所の役を免じて新しく天文方に任命した。春海は三年（一六八六）九月、京都から江戸に移り、麻布に住むことになった。この時春海は四八歳であった。

貞享暦の基本は結局は授時暦にある。しかし春海はそれをそのまま用いることをせず、中国と日本との経度差を加えた。そして京都の子午線を基準として修正したのである。また授時暦は一太陽年を三六五・二四二五日とする。貞享暦はこれを三六五・二四一七日とする。前者は大にすぎ後者は小さすぎる。

これらの点からみると春海の貞享暦は必ずしも優秀とはいえない。しかし暦は土地によってちがうことをよく認識し、実測で修正値を求めようとしたことは、日本の暦にあっては最初のことであった。日本ははじめてその地理的位置に対応して作られた暦をもつことができたのだった。

元禄三年（一六九〇）六月、京都の大経師の降屋内匠は明年の暦の版木を江戸の天文方に提出した。この版木はさらに奈良、伊勢、江戸、伊豆の三島、東北の会津であらためて刊刻された。これが例となって、以後江戸時代を通じて暦は以上の六か所から刊行されることになった。元禄一四年（一七〇一）の春三月、京都から賀茂友親が来て春海の居宅に入り、滞在して暦学の教えを受けて一一月に京都に帰った。このことは人びとを驚かせた。なぜならば京都の公卿が江戸に来て、武家方の教えを受けることなどは、前例のないことだったからである。先例を重んじ、前例に従ってしか行動しない京都の公卿に、こうした先例破りの行動をさせたほど、春海の暦学家としての地位は高かったのであった。

これからのち、暦作製の実権はまったく江戸に移ることになった。江戸の天文方が計算してまず来年の暦をつくり、これを京都の土御門家に送る。土御門家はこれを陰陽頭暦博士に移す。これが賀茂家、幸徳井家である。ここで歳徳神、金神とか八将軍などの方位や日の吉凶などが書きこまれ土御門家に戻される。土御門家はこれを江戸に送り、江戸でこれを浄書してまた京都に送る。そこで朝廷はこれを伊勢神宮に奉告して翌年の暦が定まるのであった。形式的には京都に権威は残されたが、その内容の大部分はすべて江戸の天文方の作製するものとなってしまった。

春海はそのほか麻布の居宅で天文、兵学、神道、有職などの講義を開き、その門下には各地から多様の人びとが集まった。なかでも谷秦山（しんざん）は有名である。その間著述にも熱心で『天文瓊統（けいとう）』、「天文成象全図」、などの書物をのこし、正徳五年（一七一五）七七歳で歿した。墓は品川の東海禅寺、神道としてのおくり名は土守霊社である。

なお貞享暦は宝暦四年（一七五四）に土御門泰邦、西川正休、渋川六蔵らによって改正された。これが宝暦暦である。これまた授時暦にもとづいたものだったが誤り多く、やがて寛政の改暦となった。同時に西洋暦学の影響もまたこの時からはじまって、日本の暦学は一転機を迎えたのだった。

町人天文学者たち
——麻田剛立の一門——

豊後国（大分県）杵築の儒者、綾部安正（号絅斎）の四男は、神童だとの評判が高かった。夕暮、背に負われて外に出ると、背の子はすぐに空の星を指してその名をたずねる。こんな子が、と思いながら星の名を教えるとそれを覚えこんでしまう。一度教えたらもう忘れない、という天才ぶりが人びとの噂となった。

七歳のころには家の縁で日ざしを受けて遊びながらも、日光のさしこむ端のところの縁板にしきりと爪で傷をつけていた。その傷が、季節の移るにつれて動いてゆくことを、この子はじっとながめていた。そして一年ほどたったある日、太陽は冬至から夏へは北へ動き、秋から冬にはまた南へ戻ってくるといって、人びとを驚かせた。

また天然痘にかかって寝ついたことがあった。種痘のない時代である。子供は一度は必ず天然痘にかかったものだ。いつも背に負われて見る夕暮の星を見ることができぬ。するとこの子は毎日きまって夕暮の時の太鼓が城中から聞こえてくるとすぐ看病の人に、裏へ出て大きな星が上って来ているかどうか見てほしいとやかましくいうのだった。それで何の星か分らぬままに、いうように星が上っていると知らせると子供は安心したように眠った。これが、三、四か月もつづいたが、そのうち看病人があの時はお城の時の太鼓が間ちがっていたのだろうか、例の大きな星は今夜はずっと西の方に傾いている、と言った。すると子供はそれは当り前のことだ。星はいつも一個所にいるものではないと答えたという。

この幼い時からの天才ぶりが伝えられているのが麻田剛立（あさだごうりゅう）である。彼は享保一九年（一七三四）二月六日に生まれ、名は妥彰（やすあき）という。幼年時代の話からも知られるように彼は天文好きだった。そして独学で天文学を学びはじめ、また簡単な観測器械を用いて天体現象を観測するようになったとされる。その記録は今日でも宝暦七年以後のものが伝えられている。彼は当時二四歳、このころからほぼ一人前の天文学者となったらしい。そのうちに彼はしだいに当時行なわれていた宝暦暦の誤りに気づくようになった。

宝暦一〇年（一七六〇）五月一日、日食があった。暦には「西国にて所見七分ばかり」と記されていた。剛立はこれを杵築で観測した。けれどもその日は終日かすかな雨が降りつづいて、日食を見ることはできなかった。しかし食甚のころになると室内は夕暮のように暗くなり、灯火をつけねば物の色の区別がつかぬほどとなった。しかし戸外では夕暮よりはやや明るく、物の色はとにかく見分けられるほどであったと剛立は記録している。

宝暦一三年、九月一日にまたも日食があった。しかし当時の暦にはこのことについて何も記してなかった。ところが剛立は自分で計算した結果、この日に五分の日食のあることを予報していた。この日食については土佐の川谷貞六、京都の西村遠里(とおさと)らの民間の暦学者たちも計算の結果、日食のあることを知り、京都の所司代、阿部伊予守に知らせていた。伊予守はもしこれが真実ならば、幕府の権威が失われるとして心痛した。暦は幕府の天文方の編纂するものだったからである。幕府の暦の権威が失われるとして心痛した。暦は幕府の天文方の編纂するものだったからである。しかし川谷や西村が民間人であるために、ついにこれを幕府まで報告することなく終わった。しかしこの暦の誤りは世人のはげしい非難を受けた。日食はどんな素人でもすぐ分る天体現象である。それが暦に記してなかったのだから、幕府の天文方の能力が疑われたのも当然だった。しかも暦の誤りは年のたつにつれて大きくなり、実際の天象と暦の記載との差は六時間ぢかくにもなってきた。幕府もついに改暦を決意せねばならなくなった。

麻田はこのころはまだ綾部正庵と称していた。彼は古医方と呼ばれる医術をも修め、医師として藩侯に仕えることになった。そのため好む天文を研究する時間が乏しくなってきた。彼はそこで職を辞すことを決意したが許されず、ついに明和八年（一七七一）ごろ脱藩して大坂に住み、この時から麻田剛立と称することになったのである。その時期は杵築で九月一六日の月食の観測をした記録があるので八年末とされる。

大坂へ出た剛立はまず友人の中井履軒(りけん)の世話で本町に住むことになり、医師を開業した。

生活の資は医業から得て、その間天文学の研究をしようとしたのである。けれども彼にとっては医学も決してパンのためだけではなかった。犬や猫、キツネなどの獣を解剖して内部を調べたり、人間の死体も三度ほど解剖を試みた。そのレベルはきわめて高く、『解体新書』以前としてはすぐれた研究と今日では評価されている。

彼の塾は先事館と称した。医学で実験を重んじたのと同じように天文学でも観測に熱心で、そのために多くの器械を考案しかつ改良した。象限儀や自由振子の垂球、また反射望遠鏡なども彼によって製作された。これらを用いて彼は太陽を観測した際、黒点が移動することに注意し、それが東から正面、さらに西へと約三〇日で移動することを知った。このことから太陽の自転周期を知ったのである。そのほか木星の衛星の運動や、土星の環の変化、月面の状態などの観測も試みたほどであった。これらはいずれも学問的な観測としては日本最初のものであった。

剛立は熱心に観測するとともに、理論面の研究もおこたらなかった。やがて彼は中国清朝の康熙帝の勅命によって編集された『暦象考成』上下編を入手することができた。これは明末、中国に渡来したゼスイト会士らの手で編集された『崇禎暦書』を再編したものであった。『崇禎暦書』はゼスイト会士らが神学校で学んできた天文学にもとづいているため、天動説をとっており、天体の円運動を多数組み合わせることによって、太陽系の運動を説明しようとしたものだった。

剛立はもっぱらこの上下編にもとづいて多くの円運動を用い、太陽と月の運行を説明しようとした。このころ用いた天文常数はすべて『暦象考成』のものを採用したのである。ところが寛政五年（一七九三）ごろに、剛立の門人、間重富（はざましげとみ）が『暦象考成』の『後編』をどこからか手に入れてきた。これは中国清朝の乾隆帝の代、乾隆七年（一七四二）に出来たもので、やはり中国に来朝していたドイツ人の宣教師ケーグラー（戴進賢）の編集したものだった。ところがこの後編は上下編とは異なって、天文現象をケプラー以来の楕円運動で説明したものであった。しかしその運動は太陽と月に限られ、また地動説についての説明もない。けれどもこの後編を知ったことは、麻田剛立一門の天文学に大きな影響を与えた。剛立はさきの上下編から得た知識で「持中暦」と称する新暦を作っていたが、この後編を知ってからは持中暦を破棄しようとしたほどであった。ことに天文常数については新しい数値の多くが採用された。しかし円運動論を捨てて楕円運動を用いることはついに行なわれなかった。

彼はまた常数について消長法なるものを説いた。これは中国では、宋、元以来の暦で行なわれた方法で、天文常数の多くは、年月のたつにつれて変化するものとの考えである。麻田はこれにヒントを得て各種の常数はみな変化するものとみて、一〇年ごとに新しい数値を採用することにした。これは彼の創見としてひろく知られるところだが、実際に用いた数値はあまりよくなく、必ずしも有効ではなかった。

彼はまた有名なケプラーの第三法則を発見したといわれる。任意の三惑星の公転周期の二乗は太陽からの平均距離の三乗に比例するというもので調和法則とも呼ばれる。しかしそのいきさつについてはまったく不明である。ただ麻田の高弟、高橋至時(よしとき)がのちにフランスの天文学者ラランドの著書を読んで、はじめてケプラーの三法則を知ったときに、

「此篇ハ五星ノ一周自乗ノ比例ト、本天半径再自乗ノ比例ト相同シキヲ論載ス、コレ嘗テ麻田剛立翁ノ考フル所ノ術ニシテ暗ニ此篇ノ意ト相符ス奇トイフヘシ」(『ラランデ暦書管見』)

と感想を記していることから推測されるにすぎない。至時はまたこれより先に書いた『新修五星法及図説』においてもほぼ同様のことを記している。

さて宝暦暦はしだいにその誤りが広く認められるようになり、幕府もついに改暦を決心せねばならなくなった。寛政四年(一七九二)江戸の天文方山路才助は幕府の命によって新しい暦書を作った。しかしその基礎としたものは、麻田剛立一門がすでに古いとして用いなくなっていた『崇禎暦書』であった。けれども新しい『暦象考成後編』は、江戸の天文方の実力ではもはや理解することができなくなっていた。寛政七年(一七九五)、幕府は世評の高

い大坂の麻田を召して改暦に当たらせようとした。しかし彼は老齢をもって辞退し、代わりに門人の間重富、高橋至時の二人を推挙したのであった。

麻田剛立は晩年とみにその能力は衰えた。寛政一〇年（一七九八）の高橋至時の手紙のなかで、彼は「麻田翁、少々宜しき候由、先々安心仕り候、五、六歳の小児の如く候由、さすがの豪傑、ぜひなき次第に御座候」と書いている。また間重富はのちに至時宛の手紙で、「麻田翁など、真に己の芸を人に不抱す、生涯此道に好み、隠逸にして自ら楽む、実に学問の是非は格別にして、当時の此の如き人はなく死亡も天の時に候へ共、残心に存じ奉り候」と記している。剛立は寛政一一年、六六歳で歿したが、時代はすでに高橋至時、間重富の活動する時となっていた。

高橋至時

高橋至時は明和元年（一七六四）一一月に大坂に生まれた。父は大坂御定番の同心徳次郎元亮、下級武士にすぎなかった。至時は通称は作左衛門、東岡とも号した。一五歳で父の跡をついで同心となったが、数学が好きで松岡能一の弟子となった。松岡の数学は関流ではない。宅間流と呼ばれるものだ。宅間流は宅間能清からはじまったが、その系統に鎌田俊清が出て、大坂を中心としてその勢力をひろめた。鎌田はことに円の研究ですぐれた仕事を残している。たとえば円周率πを求めるのに、円に内接あるいは外接する正2^{44}角形の周の長さを計算し、πをこの間にあるものとした。そしてπを小数点以下三〇位まで計算した。そのほかにも鎌田はすぐれた計算の能力をもつことでも知られていた。

高橋が麻田剛立の弟子となったのは、いつからか分からぬがかなり後のことのようである。彼は間重富をよき相弟子としていよいよその研究を深めていった。そしてついに師、麻田に代わって、間とともに江戸の天文方に出仕することとなった。寛政七年（一七九五）三月のこと、至時は三二歳だった。命を受けて至時は四月に江戸へ上り、間重富は病気のためにすこし遅れて五月一六日に大坂を発し六月、江戸に入った。二人は浅草の暦局に勤めることとなり、測量御用手伝に任ぜられた。またこの五月には五一歳の伊能忠敬（いのうただたか）が江戸に出て、至時の門下に入っている。一一月、至時は天文方に任命された。しかし重富はそのままだった。この待遇の差は後にも記すように間は町人であり、至時は下級といいながらも、ともかくも武士の一人だったからだ。しかしこの間不幸にも大坂にいた至時の妻志勉は、わずか二八歳で亡くなった。

志勉は賢妻として知られていた。貧しい同心の身分でありながら、天文や数学というさほど実用にならぬ学問を研究する至時を助けてよく家庭を守っていた。彼女は二人の男子と三人の女子を生んでいた。長男は景保（かげやす）、父の跡をついで天文方となったが、シーボルト事件に連座して獄中に歿したことで知られている。また次男景佑（かげすけ）は、天文方の名家、渋川家の九代を継ぎ、渋川姓となった。彼もまたのちに天文方に任ぜられている。

高橋、間の二人は麻田から学んだ『暦象考成後編』によって、着々と改暦の準備をすすめた。麻田一門の特徴であった天体観測も盛んに行なわれた。そして寛政八年（一七九六）八月には改暦が下命されたので、至時は天文方の吉田秀升、山路才助と相談して、古来からの例にならって観測は京都で行なうことにした。そこで三人は京都に入って、京都の堀川御池に改暦御用所を設けたのであった。留守中の江戸の天文方は間と奥村邦俊があずかることになった。一一月一六日、月食があって、江戸と京都と両地で観測された。

九年になって改暦のための観測はさらに急ピッチに行なわれた。京都では、麻田剛立の弟子の足立左内信頭（あだちさないしんとう）が至時の助手となって、二月末から八月初めまで太陽の位置や高度を連続して観測した。こうして完成した寛政暦は、一〇月一九日をもって公布されたのである。

しかし寛政暦は決して十分なものではなかった。吉田、山路両家は代々天文方を勤めた名門であった。これに反し高橋至時は成り上がりの天文方である。そのために吉田、山路の二人は、ことあるごとに先例や古法をもちだして、至時の用いようとする新法に反対した。彼らは麻田派の天文学が十分に理解できなかったのである。ましてや麻田の創案である消長法を用いることの意味も、なかなか理解できなかった。至時はいろいろ苦心してようやくこれを採用させたが、そのほかの多くの点については、十分に自分の考えを通すことはできなかった。成り上がり者の悲哀を、至時はいやというほど味わわせられたのである。しかも改暦に成功したために幕府から賞与が与えられたが、代々の天文方の吉田、山路には金五枚、改暦の中心人物として最も苦労した至時は金三枚。実力よりも家格がものをいっていた。また間は銀二〇枚、大坂で町屋敷一か所を拝領し、苗字を許されることになり、新たに五人扶持を給わることになった。一人扶持は一日に玄米五合である。下級武士程度の給与であった。そして一〇年正月からは間は大坂で天文御用を勤めることになり、至時は江戸にとどまり、これまで協力してきた二人は東西に分かれて、その研究や観測を進めることになった。

新暦は寛政一〇年から施行された。しかし一〇月一六日望の日の月食は、暦で予報したものより半刻もおくれていた。至時は間重富あての手紙のなかで、

「……此度の月食は東西両地共、初、甚、復測量出来、近来珍敷儀、大慶仕候、先以御測量御丹精の御儀、乍例感心仕候、時刻は推歩余程の後れに相成候、後編の月離法用ひ候より、此度の如く半刻斗の後れは、無之事に候、後編月離も未尽さる様所有之哉、さてさてこまり入たる仕合御座候……」

と書いた。中国からもたらされた最新の知識であると信じていた『暦象考成後編』もまた不十分であることを、至時たちは痛感したのであった。

ことにその欠点は惑星の運動に関するものであった。彼はその時かつて寛政のはじめにオランダの暦法を見たとき、そこに記された惑星運動論のすぐれていたことを思い浮かべた。

そのころから至時はオランダ書にある天文知識は注目すべきものと考えていた。そのなかには地動説もあった。しかしこれは世の人びとを動揺させることになろう。そこで至時はこれを天動説に変えて「新考五星歩法」を書いた。

今や彼はふたたびオランダの天文書をあさりはじめた。幕府に収蔵されているボイスなどの一般的なオランダの自然科学書のなかには、時々断片的に天文に関する記事がある。至時はこれらを拾い集め、中国系天文書のなかにある西洋の天文と対照して、しだいに西方の天文学のおぼろげな輪郭を知ることができるようになった。そして享和三年（一八〇三）春には『新修五星法及図説』、秋には『新修五星法』が完成することになった。

同じ春のことである。至時は若年寄の堀田摂津守正敦から五冊のオランダ語の天文学書を見せられ、その内容を取調べよ、と命ぜられた。それは当時のフランスの有名な天文学者ラランドの著書『天文学』を、オランダのストラベがオランダ訳したものだった。四冊が本文、一冊は必要な天文表である。至時は一見してこれが重要な内容をふくむことを知った。彼は記している。

「其書近日、フランス、アンゲリヤ二国ノ名暦ノ諸説ヲ集メ撰シテ暦法ノ書トナシタル也、西洋紀元一千七百七十年コロマデノ成説ヲ取レリ、実ニ大奇書ニシテ精詳ナル事他ニ比スベキナシ、コレヲ以テ見レバ暦象考成後編ノ日月諸均モ猶尽サザルモノアリ、且ツ五星法皆新測ノ法ヲ建ツ、其測数ノ精密ナルハ論ナシ、其法術ノ算理ニカカルモノ、種々ノ奇巧簡易捷径ノ妙術、勝テ数フベカラズ……」

ところがこの書は幕府のものではなく、十数日ののちには返さねばならなかった。至時は意を決して買い入れを申し出た。八〇両という高価なものだった。話は容易にまとまらなかったがついに七月、購入に決して天文方に下げ渡されることになった。

彼はすぐにこの大著述の抄訳とノートをつくりはじめた。至時のオランダ語はさほどのものではなかったが、わずか六か月の間に『ラランデ暦書管見』一一冊を書きあげてしまった。彼はオランダ語が巧みではなかったので、大意を推測して書いた処もあるが、ほぼ要点をとらえるのに成功している。このことは至時の能力の抜群であったことをしめすものである。

彼はこの仕事に全精力を傾けた。ところが彼は以前から肺を病んでいた。半年の間の激しい研究は、彼の身体をすっかり破壊してしまった。『管見』の出来上がった翌文化元年（一八〇四）の正月五日、至時はわずか四一歳の若さでこの世を去ったのである。

間重富

間重富（はざましげとみ）は長涯と号し、その家は質屋だった。大坂富田屋橋の北詰、家号を十一屋といった。名は五郎兵衛。十一も土蔵がならぶという大きな家業だった。しかも重富の代には蔵は十五にもふえたので、彼はみずから十五楼主人と号したりした。

重富も幼い時から人を驚かせるすぐれた才能を見せた。一二歳の時にはじめて地球儀を見た。当時の地球儀は竹で芯をこしらえ、その上に紙を貼ったものである。重富はこれを見てたくみに地球儀を模造した。しかも細長い上下のとがった形に紙を切って、ちょうど紙風船のようにして球面を仕上げていったところは、人びとを感心させたといわれる。
一七、八歳のころから数学を坂正永に学んだ。坂は麻田剛立の弟子だった。大坂の人である。『算法学海』などの著書があった。つまり重富は間接に麻田の門下だったのだ。質屋である彼の家は財産家だったので、のちの麻田一門の天文学に大きな影響を与えた『暦象考成後編』も、彼の財力によって入手することができたのである。
重富はこのように麻田剛立の一門として天文学の研究に進んだが、彼はことに天文用の各種の観測器械に興味をもっていた。理論に走りやすい学者のなかで、実際観測の必要なことをはっきりと認識し、器械の精密化に努力したことは、まことに異色の存在であり、近代科学の意味を重富はよくとらえていたということができる。

彼はそのために京都の職人、戸田東三郎忠行に目をつけて、各種の観測器械の製作者として養成した。長崎を経由して輸入されたオランダ製の望遠鏡の構造をくわしく調べ、それによって戸田にいろいろと細工させたのである。「さても西洋人の細工たくみなる事に御座候」と、彼は当時の書状のなかで感嘆しながらもさらに改良を加え独特の装置もつくらせた。たとえば子午線を測定する器械に望遠鏡を組み合わせた遠鏡子午規などは、高橋至時も「いずれも妙器と存じ奉り候」と感心するほどのものであったし、伊能忠敬が用いた測量機械も、重富が考案し設計したものが多かった。麻田門下の天文学の研究が、江戸の天文方をこえて優秀な能力をもっていたのは、このように観測を重視した重富の存在が、大きな意味をもっていたのである。そればかりでなく彼は科学に対する理解あるパトロンとしても活動した。一介の職人の子、橋本宗吉のすぐれた才能を発見し、彼を大槻玄沢のもとに送って、オランダ語を学ばせたのもその一例である。

重富はやがて寛政の改暦の時には、剛立の推挙によって江戸に出て、高橋至時とともに実務に当たることになった。改暦が無事終わったのちに、至時は江戸に重富は大坂にあって、それぞれ天文観測に従事することになった。それはもちろん新しく制定された寛政暦を検討するとともに、将来予想される改暦のための必要データを集めるためのものであった。正確な大坂の緯度、京都と大坂の距離、冬至、夏至及び春分、秋分の太陽の位置、高度、日月食、惑星の運動などが、重富に課せられた観測任務だった。こうして至時と重富は、東西両地の観測によって、新しい正確なデータを得ようとしたのである。その結果は、寛政一〇年（一七九八）一〇月の月食で、暦の計算と実際の天体現象がちがったことから、彼らが基本とした中国の『暦象考成』も十分でないことを知った。そこで重富はさらに観測器の改善に努力したのである。文化二年（一八〇五）に書いた『垂球精義』同五年の『晷方考』六年の『針石惑門採要』、また『ヲクタント用法』、『蛮器ヲクタント用法』など西洋の観測器械についても注意をおこたらなかったのは、すべてその成果である。ことに『ヲクタント用法』は、一七四九年刊、コルネリウス・ドーエスの著書の訳であった。また文化一〇年にはティコ・ブラーエの火星説の解説書をつくっている。

またこれより前の享和二年（一八〇二）八月の日食によって、重富らは長崎の経緯度を測定するとともに、大坂長崎間の地図や測地を試みようとした。これについては天文方の山路や吉田両者が担当しようとし、一方至時はこの二人の学を信ぜず、重富にさせようとしていろいろの問題があった。それらはすべて新しい測量について無理解な役人たちから起こるトラブルだった。そしてようやく六月に重富は子重新とともに長崎へ出発することができたのであった。

文化元年、正月高橋は江戸で歿した。至時の子、景保はすぐに父の跡をついで天文方に任ぜられた。彼はすでにかなりの天文学者となっていたが、まだ二〇歳だった。幕府は重富を江戸に召して景保の後見を勤めさせようとした。命をうけて重富は一〇月江戸に出て、景保とともに至時の残した『ラランデ暦書』の研究を進めた。文化六年には暦書の諸表の訳ができあがった。また彼はこの間「ラランデ暦書訳解」と題するノートもつくった。

けれども至時にしろ、重富にしろ彼らの天文学研究は、すべて正しい暦をつくるためのものであった。正しい暦は統一された社会を維持するために欠くことのできぬものである。古代中国から暦学が帝王の業として重視されたのはそのためであった。中国での暦法、暦研究の発展もすべて国家体制を維持することを目的として進められたのである。

そこで麻田を指導者とした天文学、暦学も中国暦学や天文学を祖とする限り、その枠から脱けきることはできなかった。重富は、彼らの研究に強い自信をもち、やがてオランダ人も学びに来ることになろう、とまでいっている。しかしそれはどこまでも技術の学であった。現実において意味のあることのみが、彼らの目的とするものであった。文化一三年（一八一六）重富は歿し、子、重新は父の業をついで観測を進める。しかしそれもどこまでも暦のためであり、自然のあり方を求める思考はついに生まれなかったのである。

測地事業の推進者
——伊能忠敬——

延享二年（一七四五）の正月一一日、上総国の小関村の名主、近くの九十九里浜の漁業の網元でもあった小関家に三番目の子が生まれた。名は三治郎。父は神保利左衛門、小関家の養子だった。けれども三治郎が七歳の時に母は死んだ。当然養子だった父親をめぐっていろいろの悶着が起こる。ついに四二歳の父は小関家を去ることになり、上の子二人は父につれられていったが、三治郎のみは小関家に残された。

三治郎は小関家の孤児となったのである。孤児の毎日の生活は決して楽しいものではなく、網番をしたり、漁業の手伝などに日を送ったのだった。この有様を父、利左衛門も見かねて三治郎が一一歳の時に神保家に引きとられることになった。

神保家もまた古くから村の庄屋をつとめてきた名家だった。そこで三治郎も初等の教育を受けるぐらいのことはあったようだ。しかし父はすでに後妻をむかえていたので、三治郎の神保家の日はまた暗いものとなった。それで三治郎もあまり父の家に居らず、房総地方の親類の家を転々として寄食して日をすごしていた。

けれどもこのころから三治郎は、その才能をすこしずつ現わしはじめた。神保家にいた時、たまたま同家に宿泊した幕府の役人たちが夜計算しているのを熱心に見入り、その一人がふと簡単な計算法を教えたところ、三治郎はすぐにそれを理解し覚えてしまったという。また常陸国土浦のある寺に数学を教えてもらいに出かけたところ、僧は試みに問題を出した。ところが三治郎は玄関で持参した握飯を食べながら、すぐにそれを解いてしまったといわれる。それから半年の間数学を学んで、早くも三治郎は師以上の力をもつようになった。また父の利左衛門は碁が強かったので、三治郎は自分にも教えてほしいと望んだが父は許さなかった。そこで彼はこっそりと他の人に碁を習った。父はこれを聞いて、もし自分より強くなる決心があるなら教えてやる、と言った。三治郎は必ず父より強くなると言明して碁を習い、とうとう父よりすぐれた打ち手となってしまった。これらの伝説や逸話はもちろんすべて真というわけにはいかないが、三治郎の非凡さが評判だったことは知られよう。また彼の意志の強さもうかがわれよう。

ところで同じ下総国佐原に伊能と呼ぶ名家があった。その祖先は大和国高市郡の人という。永禄年間に佐原に草分けとして移った家であった。徳川幕府の鮭御用や新田開発などの仕事を受持ち、醸造業をいとなむ家柄であった。しかしそのころは当主が若くして死に、残るのはわずか二歳の娘一人だった。その娘も成長したので、すぐれた養子を迎えて伊能家を再興させたいと伊能の親族たちは考えた。そこで遠縁にあたる三治郎が選ばれることになった。三治郎は一八歳、妻となる達は四つ年上の二二歳だった。

家格の重視される当時のことである。あちこちで寄食していた孤児の三治郎をそのまま養子にすることはとてもできなかった。そこで三治郎は一旦、遠縁の平山家の養子となり、江戸の林大学頭の門下に入門して忠敬の名をつけてもらった上で、はじめて伊能家に入ったのである。

伊能は名家だったので、三治郎はすぐに村の名主後見となり、名も源六と改めのちには勘解由と改めた。彼は伊能家のために熱心に働いて、衰えた家運を盛り返そうとつとめた。彼はまず家訓を次のように定めた。

第一　仮にも偽をせず孝悌忠信にして正直たるべし
第二　身の上の人は勿論身下の人にても教訓異見あらば急度相用堅く守るべし
第三　篤敬謙譲とて言語進退を寛裕に諸事謙り敬み少も人と争論など成べからす
亥　九月二十一日

そして家業の醸造業を発展させるために、江戸で酒問屋をいとなみなどもした。彼の努力によって伊能の家運はしだいに盛り返し、明和三年の飢饉には村民を助けても十分に余裕があるほどになった。ついで天明三年、六年の飢饉の時には、早くから飢饉となることを見通して、江戸に出て米を買いしめた。そして米価が上がるとこれを売り、また一面では村では米を貧民にほどこすなどして、利益と人望をともに得るというたくみな方法で成功した。やがて彼は苗字帯刀を許される身分となり、伊能家は完全にもとの名家としての声望を回復した。三四歳の安永七年（一七七八）には五月末から一月ほど、妻と従者二名を連れて松島へ観光旅行するという、余裕ある暮らしぶりとなった。

けれども不幸にも三九歳の時に妻は病歿してしまった。それで忠敬はやむを得ず四六歳の時に後妻のぶを迎えた。四八歳、寛政四年には、村内取締の功をみとめられて、領主から三人扶持を受けるほどになった。当時の農民としては最高の地位にまでなったわけである。一方子供の景敬も三〇歳となったので、忠敬は家をゆずって自分は隠居することにした。時に五〇歳、忠敬の新しい第二の人生がここにはじまるのである。

忠敬は隠居前から暦学には興味をもっていた。四八歳ごろの手紙に、京都の本屋へ注文する書名が記されている。それには『暦算啓蒙』『律襲暦』『観象暦』中根元圭（げんけい）の著『授時暦経俗解』などの名がみられて、彼が早くから暦学に関心のあったことをうかがわせる。また彼は名主をつとめていた関係上、村の田畑の地所割や広さなど、簡単な測量についても一通りの理解をもっていた。しかし今や本格的に暦学を学ぼうとするならば田舎の佐原ではどうにもならぬ。そこで彼は寛政七年（一七九五）五月、江戸に出て本所深川に住み新しい道にふみだした。しかも幸運なことに、この年四月、高橋至時が江戸の浅草暦局に勤務することになった。忠敬はこうして江戸で直ちに当代随一の暦学者に入門することができたのである。至時は忠敬より二〇も年下だった。

至時の教育法はまず授時暦からはじめて『暦象考成』を教えるという方法であった。しかし伊能はすでに授時暦については一通り学んでいたので、『暦象考成』からはじめて入門後一年余りで、当時最高のテキストとされた『暦象考成後編』をも学ぶことになったのである。寛政八年一一月の間重富の手紙に、

伊能忠敬（千葉県香取市　伊能忠敬記念館所蔵）

「伊能も後編推歩そろ〳〵と出来申候、間々に尋に来り申候、暦理も少々つつ分り申候間には彼の火星を尋被申候……」

と書かれている。推歩とは計算のこと。伊能は計算好きであった。そこで至時はたわむれて彼を推歩先生と呼んだという。

同時に忠敬は観測にも熱心であった。朝外

出した時は必ず正午前に帰宅して太陽の高度を測り、午後に外出した時でも夕暮には帰宅して星の位置を実測した。だから曇天や雨天の日しか、人とゆっくり話しこむこともなかった。また夕暮に帰宅する時はあまりに急ぐために、懐中物などを忘れることはしょっちゅうであった。これだけ熱心だったので、偶然にまっ昼間に金星が南中するのを観測したことがあった。これは日本での最初の観測であった。

忠敬の師、高橋至時、間重富らの苦心によって成立した寛政暦の精度を検するための、寛政一〇年の日月食観測には忠敬も参加した。一〇月一日の日食、一六日の月食いずれも忠敬は観測した。その結果は至時の得た値に近かったが、至時は間宛ての手紙で、

「勘解由の測は、小子の測に近く候え共、是は未熟の事故、聢(しか)と見合にも難成候」

とまだあまり忠敬の観測を評価していない。が忠敬はまたこの結果についても、

「日月食の測り難き事を此度能覚へ候間、少しも大きに見ゆる星鏡ほしき由に申し候」

(同上手紙)

と、すぐに新鋭の大型望遠鏡を入手してより精確な観測を志していたのだった。

忠敬の家庭はこの間またも不幸に見まわれていた。後妻ののぶは寛政七年に歿して、彼はめぐまれぬ暮らしを送ってきた。しかし独り身の暮らしの不便さに、一〇年ごろに栄を迎えた。しかしすでに隠居の身分であったので、妻と公称せず客分とした。栄はすぐれた女性だった。漢籍の素読も出来、四書五経の訓点のない白文を、すらすらと読む才女ぶりであった。算術もでき図面をひくこともたくみであった。至時の手紙に、

「象限儀の目もり抔見事に出来申候、勘ケ由（忠敬）仕合ものにて、如此助力有之候、此節の絵図にも、此婦人壱人前を仕候由に御座候」

とほめていることからも、余程にすぐれた人物だったらしい。

師の至時たちは以前から日本の重要な地の経度、緯度、また子午線一度の長さを確定することが必要と考えていた。一度は三〇里とか三二里、また二五里などと諸説はまちまちで、しかも確実な実測は行なわれていない。弟子の忠敬も同じようにこの問題に深い関心をもっていた。それで忠敬の深川の住居と、浅草の暦局の間は緯度差が一分半であり、距離にして一里ぐらいであるから、これを実測して一度の長さを求めようと考えた。しかし至時にこれを提案すると、家の並ぶ町での実測は困難であるし、また距離が近すぎて正確な値を求めにくい、もっと開けた地で測量するがよいと教えられた。

しかもこのころ日本の北辺は騒然としていた。寛政一〇年（一七九八）目付役渡辺久蔵一行は蝦夷地（北海道）を巡視した。近藤重蔵はエトロフ島に渡り「大日本恵登呂府」の標柱を建てて帰った。一一年には蝦夷地取締の松平忠明もみずから視察に赴き、近藤重蔵や最上徳内も再度北方の調査をすすめた。幕府は蝦夷地の地図の必要を感じ、天文方暦作手伝の堀田仁助に蝦夷地の沿海を測量させた。仁助は約五か月かかって蝦夷地を旅行したが、略図しかできなかった。

至時はこの機会をとらえて、かねてから問題の子午線一度の長さを実測しようとして、忠敬に相談した。そして忠敬は蝦夷地の地図をつくること、子午線一度を実測する事業をはじめることを決心した。蝦夷地取締の松平忠明への願書に、忠敬は次のように書いた。

「地図を精しく認め候術は、第一は北極の地度、其次は方位に御座候、さて其術を至密に仕候には、子午線儀、象限儀等の大道具を用ひ、地平経儀、磁石等迄も夫々準ひ候様に仕立置、其上は此術に熟練仕候者の眼力を以て見込、精神の注ぎ候所より自然と妙境に入、至密の上の至密をも尽候儀に御座候――」

しかし一農民出身の忠敬がこうした大事業に当たることについては、封建社会特有の多くの困難があり、至時や間重富が中心となって幕府と交渉をくりかえした。そしてようやく

「公儀御声掛り」という名目で測量が許される見込となった。忠敬は象限儀をはじめとする各種の観測器械を自費で整備したが、その金額は七〇両にも及んだ。そして結局は測量の入費も幕府は一日に付銀七匁五分（全部で約二〇両）を給するのみで、あとは自弁しなければならなかった。そのため費用は百両にも達した。こうして寛政一二年（一八〇〇）閏の四月一九日、江戸を発して奥州街道を測量しつつ五月二二日、函館に入り、蝦夷地の東南海岸に沿って八月七日、西別に達した。さらに忠敬は根室まで進もうとしたが、ちょうど鮭の漁期となって人夫が不足となり、同じ道を通って一〇月二一日、江戸に戻った。

忠敬は各地の緯度を求めるには象限儀を用い、恒星のうち大星をえらんで曇天ならば五、六星、晴天ならば二、三〇星の高度を観測した。その労苦はたいへんなものだった。また昼には地図をつくるために方位盤、羅針盤などで必要なデータをとりながら進みつづけた。江戸に戻るやすぐさま忠敬は地図の製作にとりかかった。測量旅行中の野帳によって製図はぐんぐんと仕上げられ、一二月二一日早くも大小二種の地図が幕府に献ぜられた。それは一間六尺、一町六十間、一里は三六町としたもので、大図は縮尺四万三六三六分の一の縮尺で、小図はそれをさらに十分の一にちぢめたものであった。

いまひとつの目的たる一度の里数は、南北については二七里、東西では高緯度の地ほどみじかくなり、三六度で二一里三〇町、四四度で一九里一五町を得たが、これはまだ正確な値ではなかった。しかしこの第一次蝦夷地測量は、至時が間への手紙のなかで、

「尤右の道測候儀は、小拙すべて差図は致し置き候得ども、右程に揃ひ申すべくとは存ぜず候処、よくも仕おふせ候儀に御座候……」

と感心しているように、驚くべき努力と勤勉の結晶であった。

忠敬はつづいて第二の実測を願い出た。第一次が略測であることを主張し、さらに精細な実測をしようとするものだった。けれども事はなかなか運ばず、内地の東海岸の測量事業に改められてしまった。経費についても至時からも幕府と交渉をくりかえしたが、わずかに一日十匁と、前回より多少増額されたにすぎなかった。それでも忠敬は喜んで享和元年（一八〇一）四月二日、江戸を出発、相模、下田方面の測量を開始した。この時はじめて忠敬の工夫による量程車が用いられた。タキシーメーターと同じ原理で、車の回転数から距離を知るようにしたものだ。この種の車は古くから知られ、古代ローマや中国ですでにその使用が知られている。けれども実際に用いてみるとあまり正確なものではなかったので、さほど用いなかったようである。

測量は六月に一旦江戸に戻り、それから東北に進み、青森方面までの測量を完了し、一二月に江戸に帰ることができた。この結果は翌年三月に、大中小三種の地図として結実し、また子午線一度の長さとして二八里二分を得ることができた。二分は七町十二間である。もっともこの値については、はじめは師の至時でさえ容易にこれを信じようとはしなかった。しかし至時ものちに『ラランデ暦書』を見て、その値のすぐれていることを知ったのだった。

享和二年（一八〇二）六月、忠敬はふたたび幕命によって東北地方の日本海岸の測量をはじめた。こんどは手当六〇両が下付され、人足五人、馬三頭、長持一棹の持人が与えられることになった。忠敬に対する待遇もしだいに改善されるようになったのである。つづいて三年二月には尾張から北陸方面の測量に移った。平山郡蔵をはじめとする門人の能力も進んできたので、測量旅行のプランもほぼ整理されてきた。また得られた観測値から地図を製するプログラムもできあがって、その製図速度も早くなってきた。

幕府ももはや単に高橋至時の弟子とのみ、待遇するわけにはいかなくなってきた。文化元年（一八〇四）九月、忠敬は天文方の出役となり十人扶持が与えられることになった。正式の幕府の役人となったのである。さらに二年の二月には中国測量の事業が開始された。しかし瀬戸内海の島の測量には意外に時間を要することになった。加えて老齢の忠敬が病に臥すこともあって、江戸に戻ったのは三年の一一月になってしまった。残るは四国、九州である。忠敬は元気に測量を継続した。しかしこれらの事業がすべて終了したのは実に文化一一年（一八一四）五月、忠敬は七〇歳になっていた。そののち門人による伊豆七島、江戸府内測量を加えて、五六歳の春から開始した全国の測量事業は、実に一七年間に及び忠敬の年齢七二歳に至って、ようやく終了したのである。

これ以後忠敬は門人や下役とともに八丁堀の新宅に設けた地図御用所で、全国図の作製に努力をつづけた。しかしさすがの忠敬の健康もながい労苦のはてか、衰えをみせはじめた。しかしそのなかでも彼は二、三の書物まで書くという勤勉ぶりだった。だが老いの衰弱には、頑健な忠敬も勝つことはできなかった。文政元年（一八一八）七四歳となったころから衰えは急速に進んだ。そして四月一三日ついに歿したのである。彼は師の高橋至時と同じ浅草の源空寺に葬られることを望み、それは実現された。しかし全国の地図はまだ未定のままであった。

忠敬の遺志を継いで高橋至時の子、景保の監督のもとに、平山郡蔵らの門弟はひきつづいて熱心に地図の完成につとめた。また忠敬と親しかった間宮林蔵は、カラフトを探検しさらに蝦夷地を調査したのち、文化一三年（一八一六）には江戸に帰っていた。忠敬は間宮を「日本に稀なる大剛者」と尊重しており、間宮もまた忠敬の測量技術に学ぶところがあった。そして今江戸に戻ってきた間宮からは、新しい北方のデータがもたらされてきたのであった。

けれどもながく忠敬とともに測量に従った平山郡蔵は文政二年に歿しており、同じく重要な役割を果たしていた坂部八百次もまた三年に歿してしまった。景保はこの苦しい事情にもめげず、なお人びとを督励して製図に努力した。こうして文政四年（一八二一）七月、日本の全土の地図が完成したのである。大図二一四枚、中図八枚、小図三枚「大日本沿海輿地全図」といわれた。これがふつうには伊能図と呼ばれるものである。

その精密さはほどなく外人にも知られるようになった。オランダの医官として長崎に来ていたシーボルトが、文政一一年（一八二八）帰国の際に、有名なシーボルト事件をひきおこしたのもこの伊能図のためだった。シーボルトは高橋景保から伊能図の一部を得ていたが、これが発覚して高橋景保は入獄の憂目をみることになり、そのまま獄死してしまった。しかしシーボルトはいそいで作製した模本を、無事に持ち帰ることに成功した。それは小図の大日本全図と中図の蝦夷図だった。この図はやがてシーボルトの日本紹介の大著『ニッポン』にのせられて、日本の正確なイメージを欧米に伝えることになったのである。また間宮林蔵の発見したカラフトと大陸を分かつ海峡については「マミヤセト」の名を与え、カラフトが島であることを明示した。

伊能図の精巧さは文久元年（一八六一）になってさらに立証された。イギリス船は日本の沿海の測量をしようとした時、幕府は伊能図をしめした。イギリス側もその精密さに驚き、これによればいまさら測量の必要はないとして測量を中止したほどであった。さらには明治一二年、新政府の陸軍によって、日本地図が製作されはじめたときも、まず基本としたのは伊能図だったのである。伊能図のみが明治以前、科学的な天文観測によってつくられた日本地図であり、その面からいえば、これは明治以後の測地事業にそのまま連続するものなのであった。

幸福な蘭学の始祖
——杉田玄白——

慶応三年（一八六七）のことである。神田孝平は当時新進の西洋数学者として東京大学の前身である開成所の教授であった。ある日彼は本郷湯島坂上、聖堂裏の露店で一冊の半紙をとじた写本をみつけた。標題は『和蘭事始』とある。開くと細字でたんねんに書かれた文字が眼に入ったが、一読して彼は驚いた。彼の師であった杉田成卿（せいけい）の祖父玄白の書いたものである。玄白や前野良沢（蘭化）たちが、はじめてオランダの解剖書を翻訳し、それが洋学の盛んとなるいとぐちだったことは、彼もよく承知していた。そのいきさつが、玄白の追憶談として書かれているのだ。彼は喜んですぐこれを買いこんだ。

孝平はこのことを友人の福沢諭吉、箕作秋坪（みつくりしゅうへい）らに話した。すると諭吉は強く主張した。この書物はこのままにしておくべきではない。百年前の先人たちの苦心の有様を、この手記によって、多くの人びとに知らせるべきだ。出版の費用は自分が出そう。こうして明治二年の正月、杉田玄端が大槻玄沢の書いた玄白の略伝を序としてのせ、べつに杉田廉卿（れんけい）が序文を書

いたものが木版の二冊本として出版された。それには杉田家の号をとって天真楼蔵版とした
が、題名も『蘭学事始』に改められた。現在ひろく知られている『蘭学事始』の書名はこの
ときから広まった。
　ところが同じ内容のものが、『蘭東事始』と題して写本として伝わっていることが、その
のち知られて来た。大槻玄沢が命名したもので、「蘭すでに東せしとやといふべき起原」の

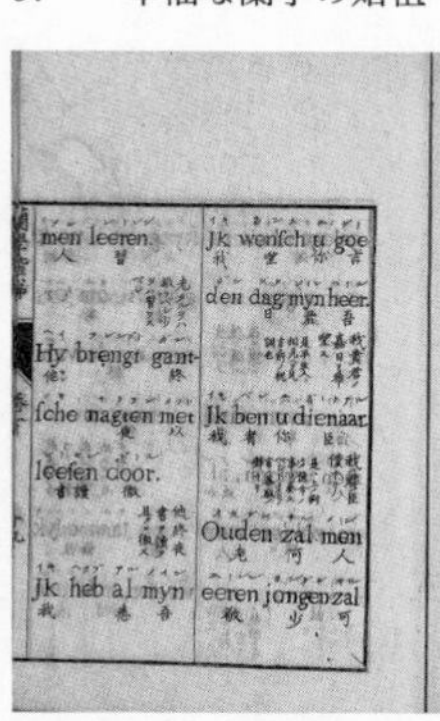
Hemel
Winter
Mensch
Man
Vrouw
Vader
Moeder
Zoon
以上共三十二言
成語　附訓點並譯文
men leeren.
Jk wensch u goe
den dag myn heer.
Hy brengt gant-
sche nagten met
Jk ben u dienaar.
leesen door.
Ouden zal men
Jk heb al myn
eeren jongen zal

大槻玄沢『蘭学階梯』

内容だからであるという。オランダの学、すなわ
ち蘭学が東方に定着するに至った起原ということ
である。すなわち現在の蘭学事始は、明治前には
ほぼ『蘭東事始』あるいは『和蘭事始』と称され
ていたことになる。それはとにかく、『解体新
書』や『蘭学事始』の名によって、杉田玄白は日
本の蘭学、つまり洋学、ことに西洋医学を日本に
正式に紹介した人物として有名となった。
　杉田家は若狭（わかさ）小浜の酒井家の医官である。父は
甫仙といった。玄白の生まれるときはたいへんな
難産で、母はついに気を失うという有様だった。

看護の人たちは母のことに気をとられて、生まれたばかりの赤ん坊のことは忘れてしまった。しかも非常な難産だったのできっと死産だろう、とあり合わせの布に包んで横においたままにしていた。ようやく落ちついたのち、赤ん坊をみると元気で生きている。また慌てて抱きあげるという始末だったといわれる。

しかしそののちは玄白は元気に育っていった。彼はそのまま牛込の酒井家の邸内の父のもとですごしたのである。しかし一七、八歳の時、決心して父に医業を学びたいと申し出た。父は喜んで二本榎に住んでいた幕府の医師西玄哲に入門させた。彼は外科医であったがもと通訳の家で、古くはポルトガル、またオランダの医術を覚えて医師となったのである。アンブロア・パレの外科書が彼の基本的な知識だった。玄哲はこれにもとづいて治療書を書いたが、オランダ流の外科書としては最もくわしいものとされた。玄白はこのころから西洋の医術の優秀さに眼を開いたわけである。同時に本郷で竜門先生といわれた、宮瀬三郎右衛門について儒学も学んだ。

玄白は二五歳となった。そこで酒井侯からは部屋住料として五人扶持が給与されることになった。玄白は薄給ではあったが独立を決心し、許されて日本橋通四丁目に住むことにした。その隣は偶然に画家楠本雪渓の家であった。平賀源内の『物類品隲（ぶつるいひんしつ）』のさし画を画いた人である。けれども火事にあったりして、箔屋町や堀留町を転々とした。

三七歳、父の甫仙が亡くなったので、新大橋の中邸に移った。彼もひとりだちとなった。

しかし異国オランダの学問のことは、彼の耳には入ってもさほどまだ関心をひくものではなかった。がそのころ山形侯秋元氏の医師の安富寄碩（やすとみきせき）が長崎に行って、オランダ語のアルファベット二五字を覚えてきた。安富はまたオランダ人に、いろは四八文字をアルファベットで書いたものももらってきた。寄碩は帰京すると得意になって盛んにこのことを言いふらした。杉田と同僚の中川淳庵は、安富と同じ麹町に住んでいたので、安富についてオランダ文字を教えられた。玄白も中川に誘われて、このときはじめてオランダ文字を知ったのだった。

明和三年の春、オランダ商館長ヤン・カランスが上京してきた。ある日中津侯奥平氏の医師の前野良沢がふいと訪ねてきた。どこかへまた出かけようとする風である。これからどこへ出かけられるのか、と玄白はたずねた。すると良沢は「ちょうど今オランダ人が長崎屋に滞在している。通訳も一緒だ。だから通訳に会ってオランダの話を聞き、都合によってはオランダ語についてもたずねようと思っている」とのことだった。玄白もオランダ文字を覚え、またいろいろな新知識を得ることに好奇の念をもやしている時だった。そこですぐさま、「では自分も同道してほしい、一緒に質問したいものだ」といって良沢とともにオランダ人の定宿である長崎屋を訪問した。そのときのことを玄白は次のように追憶している。

「大通詞は西善三郎という者だった。良沢の紹介で自分の希望を述べたところ西は聞いてそれはやめたがよい。なぜならばオランダ語を学んでも理解することはたいへんむつかしい事だ。たとえば湯水又は酒を飲むことを何というかを聞くには最初は手まねで聞くよりしかたがない。酒を飲むという事を聞くには、まず茶碗でももって、酒を注ぐまねをして口につけて、これは、とたずねると、うなずいてデリンキと答えてくれる。飲むということだ。また酒の上戸、下戸を聞こうとしてもこれは手まねではむつかしい。何度も飲むのと少し飲むのとで区別することはできる。けれども酒に強くても好まぬ人もあれば、弱くても好きな人もいる。しかしこれは感情の問題だから手まねのしようがない。ところで好むというのはアアンテレッケンという。わたしは通詞の家に生まれ、小さい時から通訳になれているにかかわらず、この言葉の意味が分らず、五十歳のこの年のこん度の上京の旅で、その意味をはじめて理解できた。……オランダ語を習うのはこのようにめんどうなものだ。わたしは朝晩オランダ人と接触しているが、それでもなかなか判らない。江戸にいて学ぶなどはとてもできぬことだ。それで野呂元丈や青木昆陽などの方は、公儀の御用として毎年訪ねてこられ熱心に勉強されるが、それでもはかばかしくゆかぬ。あなたも御やめになったがいい、と意見してくれた。良沢はどう思ったかは判らない。わたしはもともとせっかちな性質なので、西の言分はもっとものことだと思い、そんなにめんどうな事をする気持もないし、むだな時間をすごすこともないと思ってべつにオランダ語を学ぼうという気持も起こらずに帰宅した。」(『蘭学事始』)

ちょうどそのころは田沼意次が老中だったころで、時代の空気は一般に派手好みとなり、また新しいものに好奇の眼を輝かすようになってきた。オランダ渡りのものが珍しがられ、もてはやされ、オランダ商館長の上京のたびに、定宿へ出入する人もふえてきた。

明和六年、商館長とともに外科医が一人東上してきた。付添ってきたのは吉雄耕牛、彼はオランダ外科医のバウエルに学んで、すぐれたオランダ流の外科医として知られるようになっていた。玄白もこの噂は知っていた。そこで彼も毎日長崎屋へ通ったのである。ある日この外科医は刺絡を実行するところをみせてくれた。刺絡とは静脈に針をさして血をとる療法で、ヨーロッパでは古くから行なわれていた。患者は川原元伯という医師、舌に腫物ができていたのである。オランダの外科医の仕事ぶりはみごとだった。針をさした時血がとぶことをあらかじめ予想して、離れた処へ受器を置いた。そして針を刺したところ、血はうまく受器に入ったの

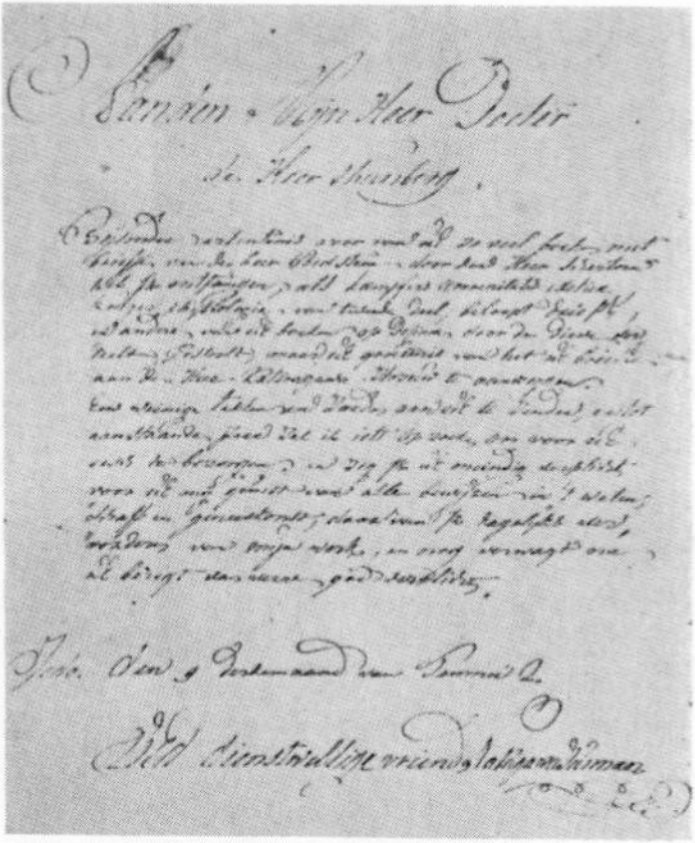

中川淳庵のオランダ文筆跡（ツンベルグあて）

である。

玄白は毎日のように長崎屋へ通ってオランダに関する話を聞いた。ところが一日、通詞の吉雄耕牛は彼に一冊のオランダ語の医書をみせた。これはヘイステルというオランダ外科医の書いた外科の書物だ。わたしはこれがほしかったので、上方から来た銘酒二〇樽でやっと交換した、と彼はいった。玄白は受けとって開いてみた。もちろん一字一句も分からない。しかし挿図はとにかく理解できる。しかもそれらの図は日本や中国の医学書とちがって、はるかに精密で写実的であることに彼は強く心をひかれた。玄白は早速耕牛に頼んで借りうけ、昼夜ぶっとおしに図を写しとって、耕牛の江戸滞在中に返すことができた。玄白の心中にもようやく、オランダ医学の優秀さに対する魅力が、わきあがりはじめたのだった。さらには友人の平賀源内や前野良沢、中川淳庵などが熱心にオランダの医学や生物学を学ぼうとし、苦心してオランダ書を入手しているのを見ると、玄白のなかにもしだいにオランダ書へのあこがれが成長してきた。ついに彼もオランダ商館長上京の際に、その宿舎へ集まる常連となってしまった。

明和八年（一七七一）のことである。中川淳庵は宿舎で、二冊の解剖図説をみせられた。一冊はターヘルアナトミア、一冊はカスパリュス・アナトミアというものだった。希望ならゆずってもよいとオランダ側はいう。淳庵はこれを玄白に見せた。玄白らは開いてみて驚いた。字も文も判らぬ。しかし内臓や骨の図をみると、これは明らかに実物について写したものにちがいない。玄白はひどく心をひかれた。しかも自分も外科医の一人だ。一冊ぐらいもってもいたい。しかし当時玄白は貧しかった。彼は思案のあげく、家老の岡新左衛門に相談した。新左衛門はそれが役に立つものなら、殿から金をいただけるようにしようと言った。玄白は言った。今ははっきり役に立つとは言いきれません。しかし必ず役に立つものとしておめにかけたい。傍にいた儒者の倉小左衛門が口添えしてくれた。買えるようにされたがい い。杉田氏は決してむだなことをする人ではない。この理解ある計らいで、玄白はついにターヘルアナトミアを入手することができた。カスパリュスの書物ものちに彼のものとなった。玄白もついにオランダ書をもつことになった。

ターヘルアナトミアはドイツのダンチヒの解剖学の教授だったクルムスの解剖図説を、オランダのデイクテンがオランダ訳したものだった。一七三四年、アムステルダム刊である。ターヘルアナトミアは実は書名ではない。この書の扉に、タブラ

『解体新書』の原本となったクルムスの『解剖図譜』

エ・アナトミカエとラテン語で書いてある。これがなまって俗称ターヘルアナトミアとなってしまったのだ。カスパリュスのものは、デンマークの人、カスパルス・バルトリヌスの『アナトミア・ノバ（新解剖学）』の俗称である。運命の神はふしぎな機運をもたらした。ターヘルアナトミアを手に入れた玄白の喜びの消えぬころの三月三日の夜、明日千住小塚原の刑場で、死体解剖のことがある。希望ならば参会されよとの知らせが入った。買い入れたばかりのオランダ解剖書によって実物を検するには、またとない機会である。しかも玄白は以前に同僚の小杉玄適が、京都の山脇東洋の死体解剖に立ち会った時のことを聞いていた。それは宝暦四年（一七五四）閏の二月七日のことだった。彼らはそれによって中国医書にある内臓の分類がまったく空想的のものであることを知り、東洋によって『蔵志』と題する解剖図も出版されていた。玄白もそれをすでに読んでいた。中国医書が正しいのか、オランダ書が正しいかそれを知るには絶好の機会だ。玄白はすぐに中川淳庵、それに年長の前野良沢にもこのことを知らせた。

翌四日、彼らは落ち合って刑場に行った。驚いたことに良沢もまたターヘルアナトミアを所持していた。彼のものは長崎へ旅行したとき購入したものだった。彼らはやがて進行する老女の死体解剖に応じて、ターヘルアナトミアを見ていった。オランダの図はまさに本物そのままだった。そして中国医書のでたらめなことがはっきりしてきた。さらに彼らは刑場に野ざらしとなっている骨を拾って、オランダ書と対照したところこれまた正確だった。彼らは互いに嘆息した。「自分たちは医師として主君に仕える身である、それなのに医術の根本たる人間の形体の真形について、無知のままに今日まで勤めていたのは実に恥ずかしいことだ。今日の実験にもとづいて、いくぶんでも身体の真理について理解したのち医術を行なうのでなければ、申し訳ない」。その時玄白はこのオランダ書をまず翻訳すべきだと思いついたのだった。そして彼らはすぐ翌日から前野良沢の家に集まって、翻訳を開始したのである。

しかし翻訳は難事であった。良沢は玄白より一〇年の年長、長崎まで行ってオランダ語を少しは学んだ人である。が玄白はほとんどオランダ語についてはよく知らなかった。そこで良沢についてオランダ語を学びながら、この仕事に取りかかったのだった。辞書も十分なものはない。良沢のもっていた小型辞書が唯一の頼りだった。

翻訳はどこからはじめるか、どこを開いても皆目見当もつかぬところが多い。しかしテキストのなかに全身の正面図、背面図があった。この各部の名称を日本語と対応させることが早い、というのでまずここからはじめた。だがそののちも翻訳ははかばかしく進まなかった。玄白は書いている。「眉というものは目の上に生じた毛であるとある一句も、ぼんやりとして春の永い一日かかっても明らかにできず、夕暮まで考えこみ、互いににらみあいながら、わずか一二寸ほどの文章を、一行も解釈できぬこともあった」（『蘭学事始』）。けれどもそのうちに当時マーリン、ハルマ、ハンノット、ロケースなどと著者名によって呼ばれた辞書類も入手することができて、翻訳はいくぶんの進行をみせるようになった。一か月に六、七回の会合だったが、それでも一年もすぎると、一日に十行ぐらいは進むこともできてきた。その間に、江戸へ来る長崎のオランダ語の通詞に問い合わせたり、死体の解剖も見学にゆき、時には動物を解剖して見当をつけることなどもあったのである。そうして一応の成稿ができたのは、安永元年（一七七二）も暮れようとするころであった。訳をはじめてからわずか一年半であった。しかしまだ完全ではない。彼らはそれを何度も検討した。安永二年三月にオランダ商館長が上京したときにも、訳稿を持参して教えを受けた。そして改稿すること実に一一回に及んだ。

しかし玄白らは慎重だった。完全な原稿ができたのは、四年目のことだった。まだオランダ系統の西洋医学については、ほとんどの人は知ることはない。今、これをいきなり出版したら、世人はかえっていいかげんのものと見るにちがいない。中国系医学に養われた永い伝統は、そんなに簡単に変えられるものではない。ゆっくりと啓蒙せねばならぬ。

そこで、彼らは一応の原稿ができた時にその一部をさきに出版することを計画した。今でいう内容見本である。これは「解体約図」と題された。安永二年正月のことであった。五枚一組、江戸の須原屋市兵衛の刊行、その第一枚目には、「僕嘗テ紅毛解体書ニ従事シテコレヲ訳スルコト、ココニ年アリ、今既ニ成ル、名ヅケテ解体新書トイフ」と記して、オランダ紅毛書には中国人のまだ説いていないことも記されることを力説した。画は熊谷元章で、杉田玄白、中川淳庵の二人の名がみられる。第二枚目は内臓図、第三枚目は血管図、第四は骨髄図、第五は人体生理の大要を記したものだった。なおこれらの図はのちの解体新書に入っていないものもある。

約図は大きな反響があった。玄白の友人でオランダ医学にふかい関心をもっていた医師建部清庵は約図をおくられた返書にこう書いた。

「御恵与下された約図拝見、思わず感嘆の声に口は開いたままで合わず、舌は挙ったままで下ることもなかった。みひらいた老眼からはただ感激の涙が出るばかりだった――」(原文、文語)

安永三年八月、本文四巻、付図一巻、計五冊の『解体新書』はようやく出版された。杉田玄白訳、中川淳庵校、石川玄常参、桂川甫周閲とあって前野良沢は名を出さなかった。挿図は平賀源内の弟子で、洋風画家として知られていた小田野直武が、いちいち毛筆で原画の銅版に似せて画き、それを木版にしたものであった。しかも図はターヘルアナトミアからとるばかりでなく、玄白の手もとにあった数種の解剖書の図を取捨して構成した。

小田野直武は秋田の角館の人。安永二年に、秋田の大名佐竹義敦は藩の財政を立て直すために平賀源内を顧問に招いた。このとき直武は源内から洋画の手法を学んだのである。直武

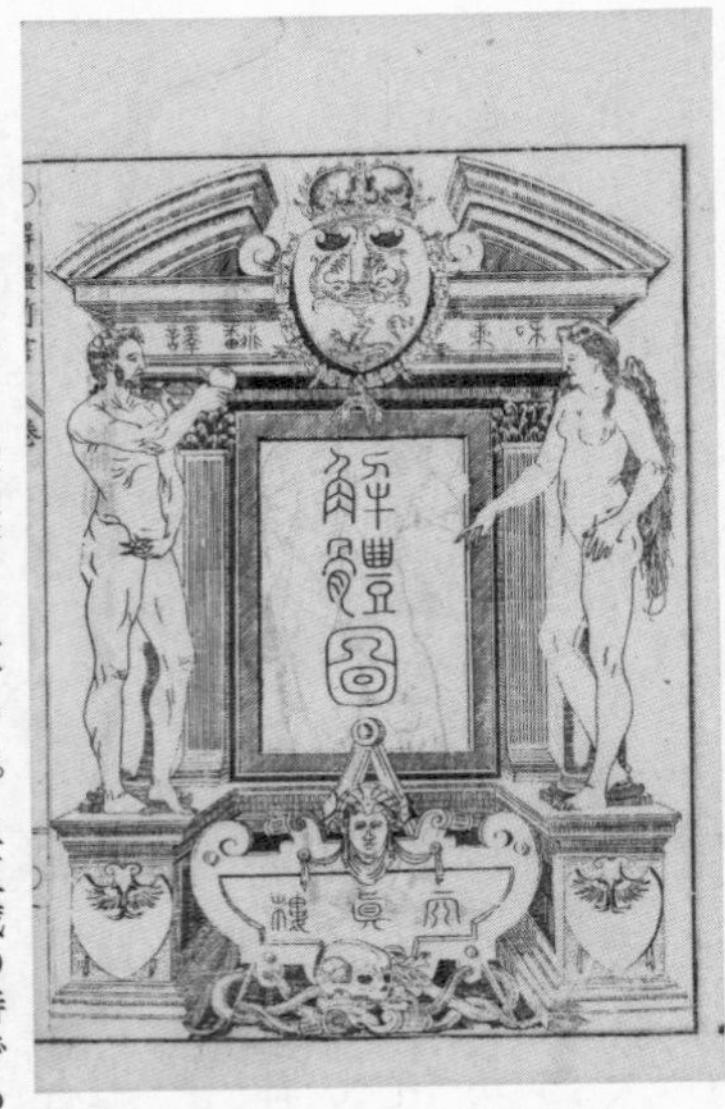

『解体新書』（神戸大学附属図書館）

はさらにこの技法を佐竹侯にも教えた。二五歳の時である。同年、直武は江戸詰の物産取立役となった。そこで江戸に出て洋風画家としてしだいにその名を知られるようになった。そこで玄白の解体新書の図も画くことになったのである。直武によって秋田は日本の洋風画の一中心となり、いわゆる秋田系洋画として知られる。けれども安永九年（一七八〇）五月、直武はわずか三二歳で故郷の角館で歿した。

ところで後藤梨春の『紅毛談（オランダばなし）』が、そのなかにオランダのアルファベット二五字をのせたことだけで、絶版を命ぜられた時世のことである。玄白たちも出版してもそれがすぐ禁止となるかもしれぬ、という恐れがあった。ただ翻訳に参加した桂川甫周の父甫三は将軍の侍医であり、医師の最高位の法眼を与えられている名門だった。玄白たちはこの縁故をたどって、まず一部を将軍に献上し、さらに玄白の従弟吉村辰碩が京都にいたので、公家の有力者たちにもそれぞれ献上した。そのほか大老、老中など幕府の高官にも全部献呈した。これらの手段が効を奏したのか、結果はなんの問題も起こらずオランダ医学書翻訳の仕事は公認されることとなった。しかも江戸でこのようにオランダ語の翻訳事業が完成したことは、長崎にあってこれまでオランダ関係のすべてを独占していた観のあった通詞たちに、大きなショックを与えた。彼らは家業として通詞を代々勤め、そのためにオランダ語について深い研究をすることもなく、漫然と日を送っていたのである。しかし今や江戸に彼らの先祖以来の伝来の業をおびやかす強敵が現われたのである。この刺激によって長崎の通詞たちによるオランダ研究、さらには西洋研究が促進されたのはのちの時代に大きな意味をもつことになった。

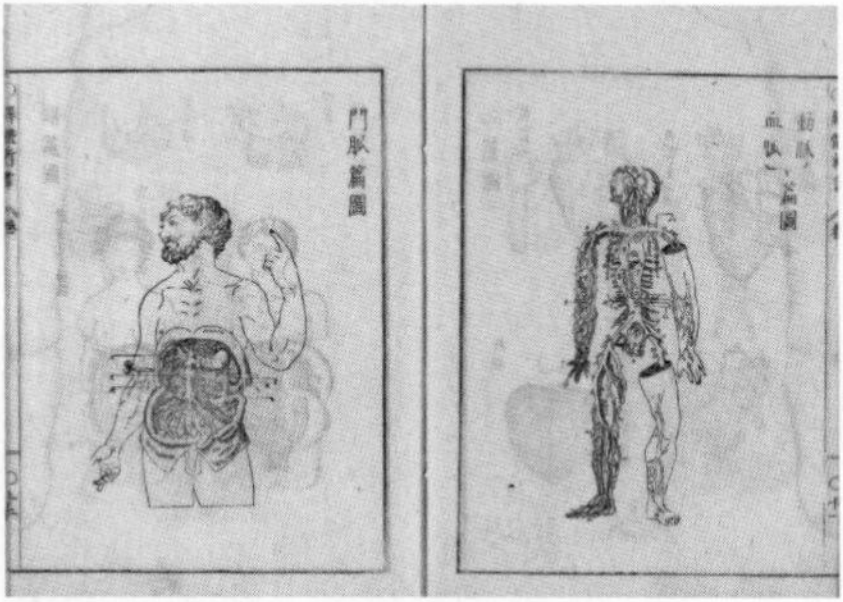

『解体新書』挿絵（神戸大学附属図書館）

玄白は日本を思う心が強かった。『解体新書』も日本の医学のために、の一念にもえて翻訳に出発したのである。それ以前から彼は外科の医書に不満を感じていた。世にいうオランダ流は通詞などから聞いた片言隻句をつづり合わせたものにすぎぬ。また中国流の医書も精確ではない。そこで彼はあらためて日本独特の外科書をつくろうと考えた。それには中国書にある外科の記述をまず集大成せねばならない。玄白はこの考えを同藩の一人に話した。彼はその着想と意気に感心して、ではどのくらい原稿はできたかと問うた。玄白はまだ考えていただけだ、原稿は起こしていないと答えた。すると友人はいった。こうした大事業を考えているのに、ぐずぐずしていることがあるものか、明日といわずすぐ今からでも仕事をはじめるべきだ。玄白はその言葉につよく動かされてその日から筆をとりはじめた。『瘍科大成』と題する彼の著書はこうしてできたという。

彼は常に医師の本質を考え、自分のなすべき仕事について思いなやんでいた。封建の社会では、伝来の家業についておれば、そのまま安穏な生活をつづけることができたが、彼は自分をとりまく世界が、医師の世界といえどもしずかに動いていることを知っていた。彼はたえずきびしい自己反省をつづけた。自分はせめてはただ一種の病でも、その病気ならばすぐにでも治療できるようになりたいと考えた。しかしそれは老年になってもついに成功しなかった。そして彼は述懐するのである。

「一病でさえこうである。もともとわが身の才能の貧しいことから起こったことだが、医術に熟練するということは、まことにむつかしいことだとわたしは考える」(『形影夜話』)

彼がターヘルアナトミアに出会い、「解体新書翻訳」の大業をめざしたことも、偶然や好奇心から出ただけではなかった。彼は彼なりに医師の家に生まれた自分の道について、さまざまの思考をめぐらしつつ歩んでいるうちに、ついにオランダ医学こそ、真の医学であると発見したのだった。医学の根源は人体のありのままの姿、内外についてのくわしい知識をもつことにある。この原理をオランダははっきり立てている。オランダ医学のすぐれた処はここにある、とするのが彼の見解であった。

それはまた彼がオランダ医学について、ともかく一通りの理解をもったことに対する、強い自信としても現われた。さきに記した建部清庵と玄白は、しばしば手紙を往復し、この両者の手紙を集めたものが、のちに『和蘭医事問答』として刊行された。これは玄白の門人たちをはじめ、当時オランダ医学に志す人びとにとってのかっこうの手引書となった。そのなかの一文に玄白は、

「こんど出版した『解体新書』はいろ〱苦心しましたが、その多くは中国人もまだ説いていない内容であります。そのうち第三篇はことに重要な問題ばかりが取り扱われて

います。そこでこの篇だけでも中国文で書いてかたかなをふろうかと考えています。及ばずながらもしもこれが中国にでも渡ることがあれば、との考えからです」(原文、文語)

と書いた。これまでの医学はどれも中国医学を大宗とし中国医書にすべての教えを求めてきた。しかし玄白は『解体新書』を逆に中国にまでひろめ、中国医学を啓発しようとまで考えたのである。新時代の医学の源はオランダ医学、西洋医学である。それは玄白の確固とした信念となりつつあった。

玄白はオランダ医学の開祖として、人びとからは尊敬され、多くの弟子も持ってその晩年はおだやかであった。彼は九幸と号した。九つの幸福をもったとの意味である。一は太平の世に生きたこと、二は天下の中心の江戸で成長したこと、三はひろく人びとと交友できたこと、四は長寿を保ったこと、五は安定した俸禄を受けていること、六は非常に貧しくはないこと、七は天下に有名になったこと、八は子孫の多いこと、九は老人となってなお元気なことである。そして八三歳、文化一二年(一八一五)に、彼はのちに福沢諭吉が発見した『蘭東事始』を書いて弟子の大槻玄沢に贈った。その最後のところで、

「一滴の油、これを広き池水の中に点ずれば、散じて満池に及ぶとや、さある如く其初

め、前野良沢、中川淳庵、翁と三人申合せ、かりそめに思ひ付しこと、五十年に近き年月を経て、此学海内に及び其所彼所と四方に流布し、年毎に訳説の書も出る様に聞けり……かへすがへすも翁は殊に喜ぶ、此道開けなば、千百年の後々の医家真術を得て生民救済の洪益あるべしと、手足舞踏雀躍に堪ざる所なり……」

と書いた。玄白はたしかに幸運の人でもあった。家は一応小藩ながら医官として安定した境遇にあった。しかも江戸詰であったために、最初から江戸の知識人のコースに乗ることができた。

その先達にはオランダ「気違い」とされ、みずから蘭化と称した前野良沢のようなすぐれた語学者がいた。そのおかげで彼はターヘルアナトミア翻訳、西洋科学書の翻訳の最初の人としての名誉を担うことができたのだった。封建社会のなかで支配者層に属していた彼は、太平の体制のなかで平穏に仕事を進めることができた。オランダ医学は彼にとって、中国医学と同じように現状を維持し封建社会を安定させる役割をもつものだった。それは学というより術であった。西洋科学の根底にある思考と論理は、彼のあずかり知らぬところであり、彼はただ中国医学よりすぐれた術として西洋医学をとらえたのである。『解体新書』刊行の際の慎重さは、彼が自分の地位を安定させる封建社会の秩序の維持に、こまかな関心をもっていたことをしめすものだ。九つを数えた彼の幸福についての現実主義は、まさしく封建のなかでの支配層側にあった一人の、率直な人生哲学なのであった。文化一四年（一八一七）四月一七日、玄白は八五歳で歿した。なお『解体新書』は、寛政一〇年（一七九八）になって大槻玄沢によって訂正され、また脱落したところを新しく訳して付加したりして一三冊本として刊行された。これが『重訂解体新書』と呼ばれるものである。

異端の科学者
——平賀源内——

平賀源内の墓碑の文は、当時の蘭学者の巨頭とされた杉田玄白が書いた。安永八年（一七七九）一二月のことである。法名は霊雄智見、寺は江戸千住橋場の総泉寺であった。当時の老中田沼意次と親しかった医師千賀道有は、平賀とも友人であった。そこで千賀の菩提寺である総泉寺に葬ったのである。しかし源内の死は獄死であった。そのため遺体を埋めることは許されず、ただ遺物しか葬ることができなかった。杉田は書いた。

「アア非常ノ人、非常ノ事ヲ好ミ　行モ是レ非常　何ゾ非常ニ死セルヤ」

ここで非常とは常態でないこと、日常的でないことである。源内は日常的な平凡人ではなかった。彼はいつも常識をこえた新奇の事を好んだ。その行為もまた常識をこえるものだった。そしてその死さえ、平凡な日常的な死ではなかった。杉田玄白の碑文のこの結びは、平賀源内の一生をみごとに表現したものといえるだろう。

享保一三年（一七二八）讃岐の志度浦新町に源内は生まれた。父は白石茂左衛門良房、高松侯の下級武士だった。その先祖は信州の平賀入道源心で、武田晴信に亡ぼされて讃岐に逃れたという。一時は奥州白石に住み、伊達家に仕えそれ以後、白石姓に改め、宇和島の伊達氏に従って四国に移ってきたとも伝えられる。

源内は幼少の時からすぐれた才能を現わして評判が高かった。一四歳の時、藩医の三好氏に就いて今日でいう博物学、当時の本草を学んだ。本草とは中国で生まれた薬物を中心とした博物学である。その歴史は古く、漢代ごろからすでに本草家と呼ばれる専門家がいた。彼らは動物や植物、鉱物を収集し分類し、それらが人間の病気に対する効果を調べた。今でいう薬物学である。日本には奈良時代に渡来した。医師がいつも中国医学を師としたのと同じく、薬物もまたすべて本草によったのである。しかし薬用とするために、各種の動植物に対する観察がかなりにこまかくていねいに行なわれていた。中国では明代に李時珍が出て、従来の本草書を集大成し、かつ独特の新分類を施して大著『本草綱目』を書いた。この書はほどなく日本にも輸入されて、江戸時代の医師や薬物家の重要な基本テキストとなっていた。

二〇歳、源内は藩主松平頼恭に召しだされて三人扶持を与えられ、ついで薬坊主格となり、四人扶持銀一〇枚に昇進した。しかしもちろん小身である。一人扶持は一日玄米五合を支給することである。だから四人扶持は玄米二升、つまり日給として玄米二升分の金が与えられ、年に銀一〇枚のボーナスがあるわけだ。現在の米価に換算して考えれば、薄給であることが知られよう。もっとも薬坊主格は、一種の位だけのことで特別な勤務があるわけではなく、割に自由な身分であった。

これより前の宝暦二年（一七五二）、源内は長崎に行きオランダ語を学んだが、期間はみじかくたいして進歩しなかった。戻って大坂から江戸に出て、当時有名だった本草の大家、田村元雄藍水の門人となった。田村は源内より一〇歳の年上で、阿部将翁について本草を学び、のちに幕府の医官となり、朝鮮人蔘を日本で栽培することに成功し、また砂糖の製法を確立した。

この四〇歳の田村藍水と三〇歳の平賀源内のコンビで開かれたのが、宝暦七年（一七五七）江戸本郷湯島の物産会だった。物産会は八代将軍吉宗が、国産品の開発を奨励したことに遠い源をもっている。各地に採薬使が派遣され、薬用植物の調査が進められたが、この風潮はやがて実証的に国内各地の産物を調査する、機運を呼び起こすことになった。中国の古典的な本草書の記述ばかりを研究するのではな

平賀源内

く、日本の実状を調べようとするものだった。それはやがて動植物の品種を研究しようとする態度となってゆく。

そこで実際に日本に産する品を陳列して比較研究しようとする会が、宝暦の初めごろから小規模に開かれはじめた。薬用植物を中心としたので最初は本草会、薬品会と呼ばれていた。

これを大規模にして一般の自然物の陳列とし、同時にこれを大衆に公開して、自然に対する知識と興味を呼び起こそうとする、研究と啓蒙運動を兼ねたものが物産会だった。その最も熱心な提唱者こそ源内だった。湯島の第一回は成功をおさめた。そこで翌八年四月、第二回が神田で開かれた。源内はつづいて九年八月、自分が主催者となって再び湯島で開き、一〇年には松田長元が主催して市が谷で、さらに一二年には源内主催で湯島で開催された。わずか六年の間に五回も開いたことは、物産会がどんなに人気を集めたかが知られる。ことに第五回は盛会で、全国三〇余国から実に一三〇〇余種の品物が収集された。会の趣意書には、

「此会の主旨は以下のようである。これまで中国輸入のものばかりで、日本にないとされてきたものも、深山幽谷を尋ねてみれば発見されるかもしれない。しかし遠く離れた国々を一々尋ねてゆくことも煩わしいし、またどこの国にも行ってみるわけにはゆかな

いから、それぞれの国の人によって産物が紹介されるべきである。このようにすれば中国の本草書やオランダの本草書などに記されているものの大部分は、外国から輸入せずとも国産で間に合うかもしれぬ。そのときには各方面での医療に、きわめて多くの利益をもたらすことになる。……」(原文、文語)

とあった。輸入のみに頼らないで国産品を発見してゆこうとした、源内の考えがみられる文である。

この時には主催者側として、田村藍水が五〇種、源内が五〇種を出品し、他は諸国から収集した。そのためには江戸、大坂、京都、長崎をはじめ、尾張、紀伊、信濃、播磨、下総、下野などと、各地に三〇個所の取次人を置いて収集に当たった。収集から輸送、さらに返納、源内たちの苦心と努力が思いやられよう。

五回にわたる物産会の出品物は、実に二〇〇〇点に達した。源内はこれらのうちから興味あるものを選んで、『物類品隲(ぶつるいひんしつ)』(六巻)を編集し、宝暦一三年(一七六三)に出版した。その巻一は水土金玉、第二巻は石、第三巻は草、第四巻は穀菜果木虫鱗介獣、第五巻は図、第六巻は人蔘の栽培法、甘蔗の栽培法と製糖法となっている。この第四巻までの分類は、中国の『本草綱目』のとった分類法そのままだ。また製糖法では牛にひかせて回転する車で甘蔗をしぼり、液汁を採取する方法を源内みずからの絵で図示した。これは中国の明末、崇禎年間に宋応星の書いた技術書『天工開物』の製糖法によったものだ。『天工開物』は農業から各種金属工業、製陶、製紙など手工業時代の技術をくわしく記した、中国史上でも珍しい書物である。日本にも早く輸入され知識人の間にはかなりに流布したようだ。源内もまた『天工開物』をちゃんと読んでいたことになる。

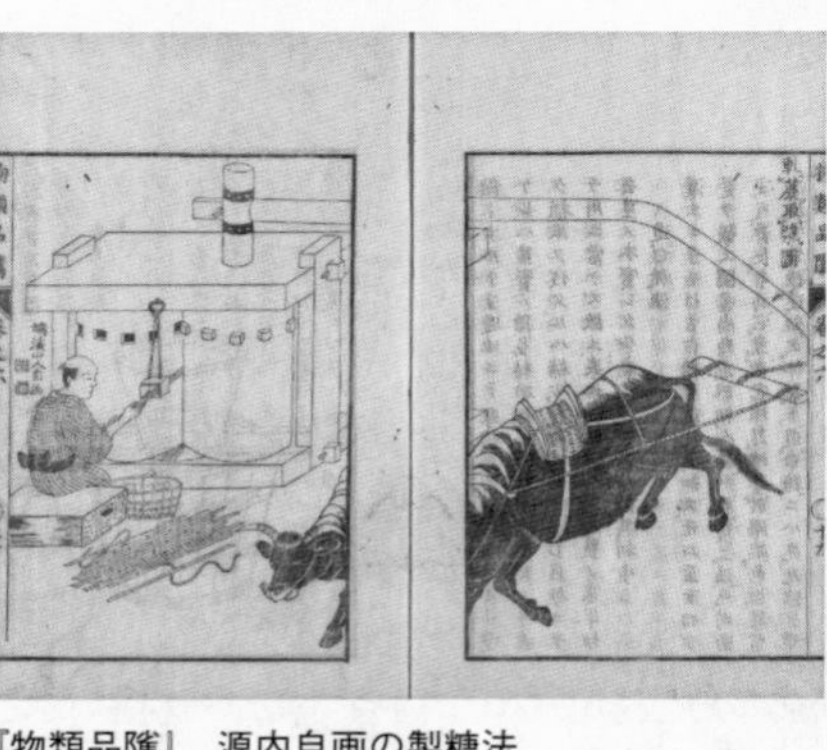

『物類品隲』　源内自画の製糖法

『物類品隲』はこうした中国的な本草の知識のみにとどまらず、西洋の博物学の影響もまじってきている。すでに源内は宝暦一一年（一七六一）には、「紅毛花譜」と呼んだ一六三一年、アムステルダム版の植物図鑑を手に入れていた。さきの趣意書にみえるオランダの本草書とは、ドドネウス著の有用植物図鑑で一六四四年、アントワープ版のことである。彼はそののちにも「紅毛介譜」「紅毛蟲譜」「紅毛魚譜」「紅毛禽獣魚介蟲譜」と自称した、オランダの生物図鑑をつぎつぎに手に入れた。このうち最後のものは、ヨンストンスの動物図鑑のことである。これと同種のものが、寛文三年（一六六三）にオランダ商館長によって将軍家綱に献上された。のちの将軍吉宗はこれを中国的な本草書と思いこみ、幕府の医師野呂元丈に和訳させた。しかし薬物の書でないことが訳の結果知れたので、この書についての研究は中止された。源内が入手したのもこれと同じ動物図説だった。当時の輸入洋書はいうまでもなく高価である。源内はそこで家財夜具まで売払って金をこしらえたと画家司馬江漢が伝えている。

源内はこれらのオランダ博物書を『物類品隲』を書いた頃は、まだ入手していないまでも、一部分は見る機会をもったにちがいない。また注目されるのは、生物標本をアルコールなどの液に漬けて保存する方法がすでに知られていたことで、瓶詰の標本図が第五巻にある。トカゲの一種が液にひたされており、田村藍水が長崎で採取したことを記して「薬水ヲ以テ硝子中ニ蔵ム　形色生ガゴトシ　数十年ヲ経テ敗レズ」とある。またサソリについても「田村先生長崎ニ至テ紅毛商船中ニ生ズルモノヲ得タリ　数十日死セズ　死後薬水中ニ蓄フ　其状図中ニ詳ナリ」と記している。彼らはこうして得た標本をオランダの図鑑によって同定し、その品種を定めようとした。西洋

『物類品隲』　ガラス瓶にいれた生物標本

科学の方法が、新しい知識、方法として中国式本草の上に加えられつつあった。『物類品隲』はその過渡期をしめす重要な書物といえよう。さらに人蔘、甘蔗など実際生産の問題についても、源内がたえず注意を怠っていないことは、彼が新しい一種の実用学の方向に、その視野をひろげていたことを物語っている。

安永二年（一七七三）、長崎のオランダ商館長は、江戸の幕府に簡単な起電機とライデン瓶を献上した。電気を蓄える装置としての蓄電器、ライデン瓶の原理は、一七四六年、オランダのライデン大学教授、ミュセンブロクによって発見された。その原理は同じくライデンの一ブルジョア、クネウスによって拡充された。次いではイギリスの医師、ロイヤル・ソサエティの会員だったベビスが、ガラス瓶の一部に錫箔を張り水をみたし、瓶の口から金属鎖をたらした今日風のライデン瓶を製作した。そしてこの原理がライデンで発見されたことからこの名がつけられた。

ライデン瓶の発明で電気は自由に蓄えることができるようになった。そこで人間に電気でショックを与えたり、人間を帯電させて火花をとばしたりすることが至る処で実験された。それは科学的な新しい見せ物として、サロンの中心的な話題となった。ヨーロッパの社交界のあちこちで、実験が公開され人びとはこの新しい魔術に驚きの眼をみはった。フランスの科学アカデミーの会員だったアベ・ノレは、宮廷の貴婦人たちにこの電気の火花が鳥を殺すことを実験してみせた。また近衛兵一八〇人をならべて手をつながせ、電気を送ってびっくりさせたり、修道院の修道士たちを多数集めてまるくならばせ、やはり感電させて驚かせた。これらはどれも宮廷の人びとを楽しませる新しい遊びだったのである。電気は新魔術とみられた時代だった。そこでオランダはこの新しい魔法の機械を、早速幕府に献上してきたのである。

この起電機に関する情報をいちはやく記したのは、明和二年（一七六五）の後藤梨春著の『紅毛談（オランダばなし）』であった。ここでは「えれきてりせいりてい」といい、図解して「諸痛のある病人の痛所より火をとる器なり」とする。病人の痛む所へ放電して火花を散らし治療するものであった。梨春は人間の体は水火のバランスによって成りたつ。そこで人の身中から火をとれば、そのバランスが回復して治ると考えた。こののち源内の門人でもあった森島中良は『紅毛雑話』（一七八七）を書いて、同じく起電機エレキテルを紹介したが、梨春のいう器械は実物を見ずに画いたものだと注意した。だから梨春はエレキテルの話をオランダ人あたりから聞いて記したのであろう。

源内はたえず江戸に上るオランダ商館長から、新しい西洋の情報を求めようとしていた。あるときヤン・カランスなる商館長が来た。その旅宿に西洋の事情に興味をもつ者たちが集まって酒宴を開いた時、カランスは座興に金袋ひとつを出し、これを開けたものには中味を進呈するといった。その袋の口は智恵の輪式で閉じてあった。一座の者はいろいろ工夫したが開かない。末座の源内にまでまわってきた。源内はしばらく考えていたが、すぐその口を開いてみせた。カランスはじめ座にいた者はみな源内の鋭い才能に感心した。このことからカランスも源内に親しむようになった。源内もまたたびたび旅宿へたずねていろいろな質問をつづけた。

またオランダの医師バウエルが江戸に来たとき、彼は碁石ほどの大きさのスランガステーンというものをみせた。これは腫物の上に置けば毒を吸いだし、つぎにミルクのなかにおけば毒はまた外へはきだされるという一種の吸毒石だった。インド近くのセイロンに産し、大蛇の頭の中にある石だとバウエルは語った。源内はそうではない。これは竜骨から作るものだ、と答えた。バウエルは竜などとは空想上の動物にすぎない。そんなものがあるはずはないという。源内はそこで故郷の讃岐小豆島から出た、大きな歯と骨のつづいたものを見せて、これが竜骨だ、中国の『本草綱目』にものっている。自分はこの竜骨でスランガステーンを作った、といってバウエルにみせた。それはバウエルの持参したものと同じものだった。バウエルは驚きかつ感心して『本草綱目』を買いいれ、また源内のいう竜歯、竜骨をもらって帰った。その返礼としてヨンストンスの図説やドドネウスの本草書、アンボイスの貝類図説などを送ったという。この話は杉田玄白の『蘭学事始』にあるものだ。がこの書には筆者の記憶ちがいがいくつもあって、源内はヨンストンスを、司馬江漢のいうように買ったのか、または玄白のいうようにバウエルないしはヤン・カランスからもらったのかよく分からない。なお小豆島の竜骨とは、今でも発見される古代象マストドンの化石のことだ。当時も漁夫が網にかかったものをひきあげたことがあった。源内は『物類品隲』のなかで「其ノ形象歯ニ似タリ、大サ六七寸」といって、もう象らしいことに気づいていた。

さて源内は明和五年（一七六八）、田沼意次に迎えられてオランダ本草翻訳御用という役になり、長崎へ赴いた。彼はそれ以前の宝暦一一年には高松藩を離れていた。物産会をしばしば江戸で開いて、彼はすでに名士であった。しかも中央の権力者、田沼侯にも認められている。源内はわずかな扶持で束縛されている高松の境遇から逃れて、自由人となることを求めたのであった。あるいは田沼侯へ仕官の意志もあったのかもしれぬ。それを見抜いたように、高松藩は他家への仕官を生涯禁止する条件で、彼が藩を離れることを許したのである。だから田沼による長崎行も、正式の田沼の臣としてではなかった。

源内は長崎では大通詞吉雄幸左衛門の家に滞在した。その間オランダの植物学を学び、エレキテルをも入手することができた。もっともこれには種々の異説がある。大田南畝（なんぽ）は平賀はエレキテルの製法を学んだといい（『一話一言』）杉田玄白はエレキテルを手に入れて江戸に帰った（『蘭学事始』）とする。また彼の入手したのは西善三郎の手もとにあった破損した器械であった。源内はこれを持ち帰り修理しようと苦心したがうまくゆかなかった。ちょうどオランダ商館長の江戸参向の時に従ってきた、庄三という通訳官に尋ねたところ、庄三はその原理を教え、源内はこれによって器械の修理に成功したという（『厚生新編』）。がとにかく平賀源内がエレキテルの実物にふれ、かつそれを製作することに成功したことはたしかである。その成功は安永五年（一七七六、安永三年の説もある）であった。現在も彼の自作と伝える起電機エレキテルが二個残っている。

ガラスの円筒があり、ベルトとハンドルで回転される。これが錫箔を張った枕とすれあって帯電する。べつにガラス瓶に鉄屑をつめ下を松やにで絶縁したライデン瓶がある。この二つが木箱に収められ、銅線がライデン瓶につないであって、その先に二本の鎖がある。ここから放電することになる。源内のエレキテルも医療用であった。彼は親しかった医師千賀道有に、

「立軒様御病気、エレキテルにて一廻りも御療治成され候はば、極めて宜しく存じ奉り候、御服薬と違い、きかいでも害に相い成り申さず候……」

とエレキテルによる治療を勧めているほどであった。

火花を散らすエレキテルは、珍物、奇物として流行した。医療よりもむしろ見世物になって人気を呼んだ。ついには贋物作りまで現われる。源内のいろいろな発明品を製作させていた職人に弥七という者がいた。彼は一〇年以来、源内の仕事をしていたのでしぜんその内容を覚えこんだ。そこで玉細工の職人忠左衛門と共謀して、鋳物師の嘉七にエレキテル製作の

ためと称して金を集めさせ、偽造したがすこしも火は出なかった。嘉七はそこでこのことを源内に告げたので、源内は弥七を相手どって訴訟を起こそうとした。しかし仲裁人があって事は内済になったという。現在知られる訴訟の一部には、エレキテル製作のためと称して六両を詐取されたことがある。高価なものだったのだ。

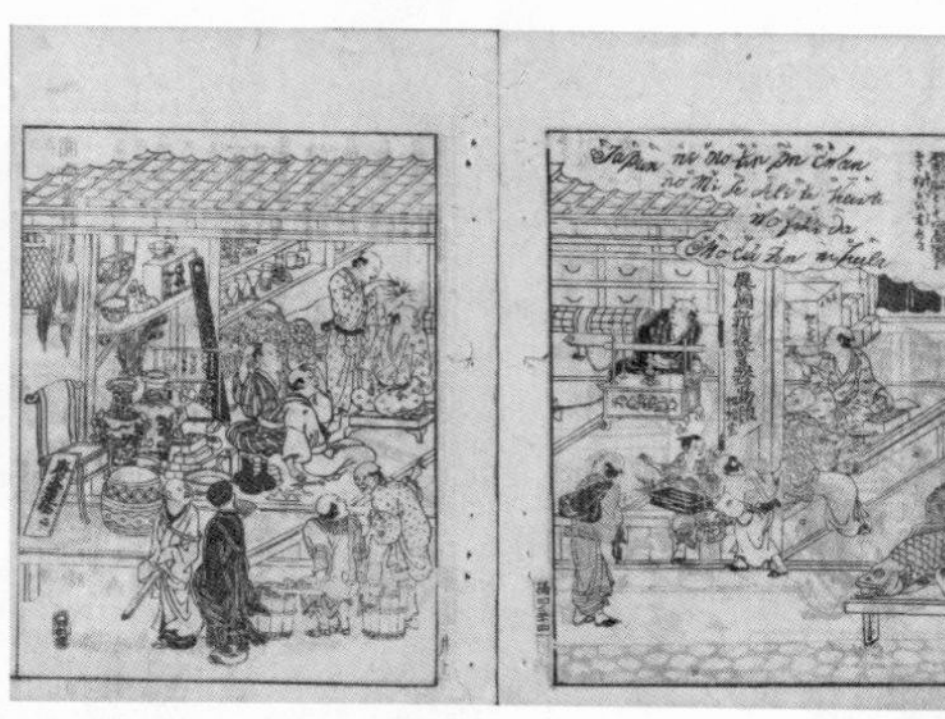

『摂津名所図会』

源内が歿したのちは模製は盛んに行なわれた。安永年間の末ごろからは、江戸でまた京・大坂でも盛んに造られ輸入品も多かった。寛政年間に刊行された『摂津名所図会』には、大坂伏見町の疋田屋が画かれ、輸入品の珍物を売る。エレキテルも中央にあって、絶縁台の上に坐った一人に、他の一人が針金を近づけて火花をとばしている。エレキテルの人気のあったことをしめすものだ。また隅の方にはエレキテル細工人大江の字がみえ、図の上方にはオランダ風のローマ字つづりで、「ワコクニモ　チンプンカンノ　ミセアリテ　カイテヲヒキダ　モクゼンノカラ」と記してある。

異国趣味大流行というところだ。

また名古屋の人、高力種信の『猿猴庵日記』天明五年（一七八五）八月の項に、盛り場だった大須門前でのエレキテル見世物のことがある。当時の見世物の有様がよく知られる描写なので以下それをひこう。

「大須門前へエレキテルといふ見せもの来る、一両年以前にも此類を見せしが、其節のは模にして正真にあらざりし由、是はオランダの療治道具にて、薬力を以てさまざまの伏義（ふしぎ）をなす本方故、功能格別にて、ひとしお妙をあらはし、諸人日毎に群集す、此図の如き箱に薬種調合して有り、件の箱に棉くりろくろの様なる仕掛あり、是を廻せば正面迄張り置きたる鎖に薬力通じて、此鎖の下に置く銅の台或は鉾の上にて紙細工の人形自由にはたらき、同帆かけ舟の紙細工も動き歩く、又銅の鉢に紙花を入れ見物の諸人をすすめて薬力を試さすに、各手をひろげ、或は扇子を開きて此鉢なる紙花に覆ふ、忽ち此紙花、蝶などの動きに似て中におどる。其時かの鎖をつよく握れば薬の勢とどまりて紙花動かず、ゆるめてみれば又本の如し、本来此薬力にて人の陽気を発する道具の由にて、諸人に手を引合せ立てならべ置き、件の鎖を持ちそへ手をにぎり、しんちうにて作る太鼓のばち様の物にて頭上を押せば、忽ちに火を出す事すり火うちをうつに似たり、此療治を一度請くる者は、一生中気を病まずすべて急病起らずといふ、此薬力にて火を出すことは、人の身にかぎらず、柿或は茄子よりも火を出す、実に奇なり」

紙細工の人形や花などの静電現象を利用して人を集めたことや、火を出すことも薬力と理解されていることが興味をひく。

この人形を動かしてみせるエレキテルは、文化元年（一八〇四）、長崎に来航したロシアの使節レザノフの一行も持参していた。

「火の発する仕掛の機器あり、箱の横前にあたる脇の方に手を以て廻すものあり、是を廻せば糸に伝へて火光発す。上に人形あり、小筒の鉄砲を持せて立つ、内の発火其鉄砲へ移りて玉を発す、響きなせり、又平盤の上に紙細工の人形を伏せ置き、右仕掛の所を廻せば其人形立て踊る」（『環海異聞』）

とみえるのがそれである。

源内はまた火浣布（アスベスト）を製作した。蘭学者として聞こえた中川淳庵は、オランダ書によってアスベストは、日本の石棉であることを知りこれを源内に教えた。源内はたちまちもちまえの創意を働かせ、秩父山中の石棉から一寸四方の火浣布を作った。火浣布は中

平賀源内の「寒暖計」の説明書を入れる袋

国の古書にみえる言葉で、浣は洗うの意だ。つまり火で洗う、汚れたら火で焼けばきれいになる布のことであった。彼はこの火浣布について宝暦一四年（一七六四）に「火浣布説」を書き、つづいて翌明和二年には『火浣布略説』を出版した。彼は製品をオランダ人に見せたところ、彼らもヨーロッパのものと同様であると感心した。源内はまたこれを清国皇帝に献上しようとし、明和元年（宝暦一四）火浣布五枚を長崎に来航した清国船の船主に届けた。しかし船主たちは余りに小さすぎ、もしこれが大型であれば献上できようと返答してきた。しかし源内の火浣布、アスベスト布は折りたたむことができず、大型のものを作ることはできなかった。

彼は寒暖計をも製作した。明和二年、オランダ商館長が東上したとき、源内はかねてから親しかった通訳吉雄幸左衛門を訪問した。吉雄は珍しいものを見せようと、二個の器具を出してきた。ひとつはアラキブルートル、酒と水の良否を見るもので液中に投じその浮沈によって質の善悪を知るものだった。今の比重計である。またいまひとつはタルモメートルで、ガラス管の中に薬水があり、気温の変化に対応して薬水が昇降する。源内はこれを見てすぐその原理をさとった。しばらくして彼はこの両種の器具をたくみに作りだした。吉雄や中川淳庵、杉田玄白の三人は大いに感服した。

このことは源内の自記である「日本創製寒熱昇降記」にみえている。記には図があり華氏目盛がつく。薬水として何を用いたかは判らない。源内は自記のなかで、この種のものを高い金を出して外国から輸入するのは、日本の宝貨をむだに失うものだ。だから外国から来るものはすべて日本で製作してやろうと、自分は数年来苦心してきたのであったと述べた。彼は一個の愛国者でもあったのだった。

明和八年、源内は肥後国天草の粘土が陶磁器用として良質のものであることを知った。伊万里焼、唐津焼、平戸焼などはみなこの粘土を使用する。また近年天草でも焼きはじめる者ができた。しかし職人の素質がよくなく下等のものしかできない。

源内はそこですぐれたデザインの必要を論ずる。まずすぐれた職人を集め、形や色や文様を指導させ、中国やオランダ人の好むようなものを造るがよい。またその見本としては外国から輸入されたものを用いるがよい。彼はいう。平戸焼は美しいがまだ俗を離れていない。伊万里、唐津のものも同じことだ。片田舎の職人は昔からの方法を守るばかりですこしも新しい工夫をしない。たとえ手近に中国やオランダの製品を置いてモデルとしても「心ニ風流御座無候故」、しぜんに下品なものとなってしまう。この風流心をもたぬところが、日本品が輸入品に劣る原因である。日本品をすぐれたものにすれば、もう輸入せずともよくなる。

そして源内はさきの寒暖計の場合と同じように、

「陶器も日本製宜さへ御座候得ば、自然と我国之物を重宝仕、外国陶器に金銀を費し申さず、かえって唐人オランダ人共も調え帰り候様に相成候えば、永代の御国益に御座候……」と、国益を強調したのだった。外国の品と日本の品との差をデザインの差とみたのは、きわめて近代的な視角といえるだろう。この上申書は「陶器工夫書」と呼ばれ、代官揖斐十太夫に差し出された。しかし建議は用いられなかった。彼はまた通称源内焼といわれる一種の軟陶をつくりだしたとされる。その文様には万国図を使った。現在でもそのいくつかが伝えられている。そのほか吉野山、秋田藩の鉱山調査など、国益のための活動は多かった。

源内の才能はとどまるところを知らなかった。オランダ渡りの器物を見て鉱山用の磁針器を作ったり平線儀と呼ぶ水準器も作った。同時に彼の精神活動は文学面にも強く向けられていた。宝暦七年六月には幕府の儒学の中心たる林家に入門し湯島の聖堂に入った。また一三年には当時の新しい学問だった国学を志し、賀茂真淵の弟子となった。そして皮肉な諷刺文学『風流志道軒伝』『根南志具佐（前編）』を書いた。

明和のころには大田南畝、平秩東作などの民間文学者と親しくなり、世を諷しつつ逃避してひっそりと生きる隠士的な文学を多く書いた。有名な浄瑠璃「神霊矢口渡」も生まれ、これは七年（一七七〇）に上演された。そのペンネームは福内鬼外である。風来山人、天竺浪人、紙鳶堂などがそのほかの文学作品に対して用いられた。また学問の上では鳩渓の号を称した。

　風流をたのしみつつ、田沼意次の力で長崎へもゆき科学者として活動していた源内は、安永三年、秩父鉱山の失敗のために、世間から山師といわれるようになった。またエレキテルの成功も、見せ物師扱いされる原因となった。自由で独創心のつよい源内の言説や行動は、当時の社会の標準からみれば異端であり、山師だったろう。

「放屁論」をはじめとしてのちに『風来六部集』といわれる諸作品が生まれたのはこのころだった。どれも源内の世相に対するきびしい批評であるとともに、彼自身の心中にある時世への憤りをぶちまけたものだった。独創と進歩をさまたげる社会の構造、またそれに疑問をももたずに旧態のまま平凡に生きる人たちの余りに多いこと、源内は自分をとりまくいっさいの世界に、はげしい怒りと嘆息をぶつけたのだった。

　こうして源内の精神も周囲も荒れはじめてきた。その家には食客が十数人もいたり、誰しもが恐れきらった盲人の高利貸、鳥山検校の家を買ったりした。人が凶宅としていた家である。これを止める人に彼は言った。自分はまだ化物に逢ったことがない。むしろ化物が出てきたら幸いだと。しかしこの凶宅を買い求めて半年もたたぬうちに源内も世を去ることになった。

　安永八年（一七七九）一一月二一日、源内は自分の家で秋田屋久五郎、松本十郎兵衛家中丈右衛門の二人を殺傷した。原因は源内の引き受けたある大名の建築の上での行き違いという。源内はすぐに自殺をはかったが死にきれず、獄に送られた。そして一二月一八日、この異常なまでの独創の人、しかも硬直した封建社会には完全な異端の人であった源内はその一生を終えた。彼の字(あざな)は士彝、名は国倫(くにとも)である。

電気学の正統

――橋本宗吉――

一七四九年、アメリカのフィラデルフィヤに住んでいたベンジャミン・フランクリンは、雷と電気が同じものであることを証明する実験を考えていた。教会の塔などの高い場所の頂上に、小さい部屋をつくり、そのなかに電気を絶縁した台を置く。台から鉄棒を外へ曲げて出しその先をとがらせる。すると雷雲が低く通ったときにこの棒は帯電するだろう。

彼はこのプランを実行しようとしたが、適当な場所がみつからなかった。ところがフランクリンの意見を知ったフランスのダリバールは、いちはやくパリの近くでこの実験を試みた。ダリバールは長さ一三メートルの棒を立てた。もちろん下端は絶縁してある。またガラス瓶に真鍮の針金をはめたものを用意して雷の来るのを待った。

一七五二年の五月一〇日、待っていた雷雲がやってきた。そこで見張りの役をしていた一人は、ガラス瓶の針金を棒に近づけてみた。すさまじい火花がその間に飛び、強い臭いが後に残った。この実験はたちまち評判となって、同じフランスのドロルも三二メートルの棒を

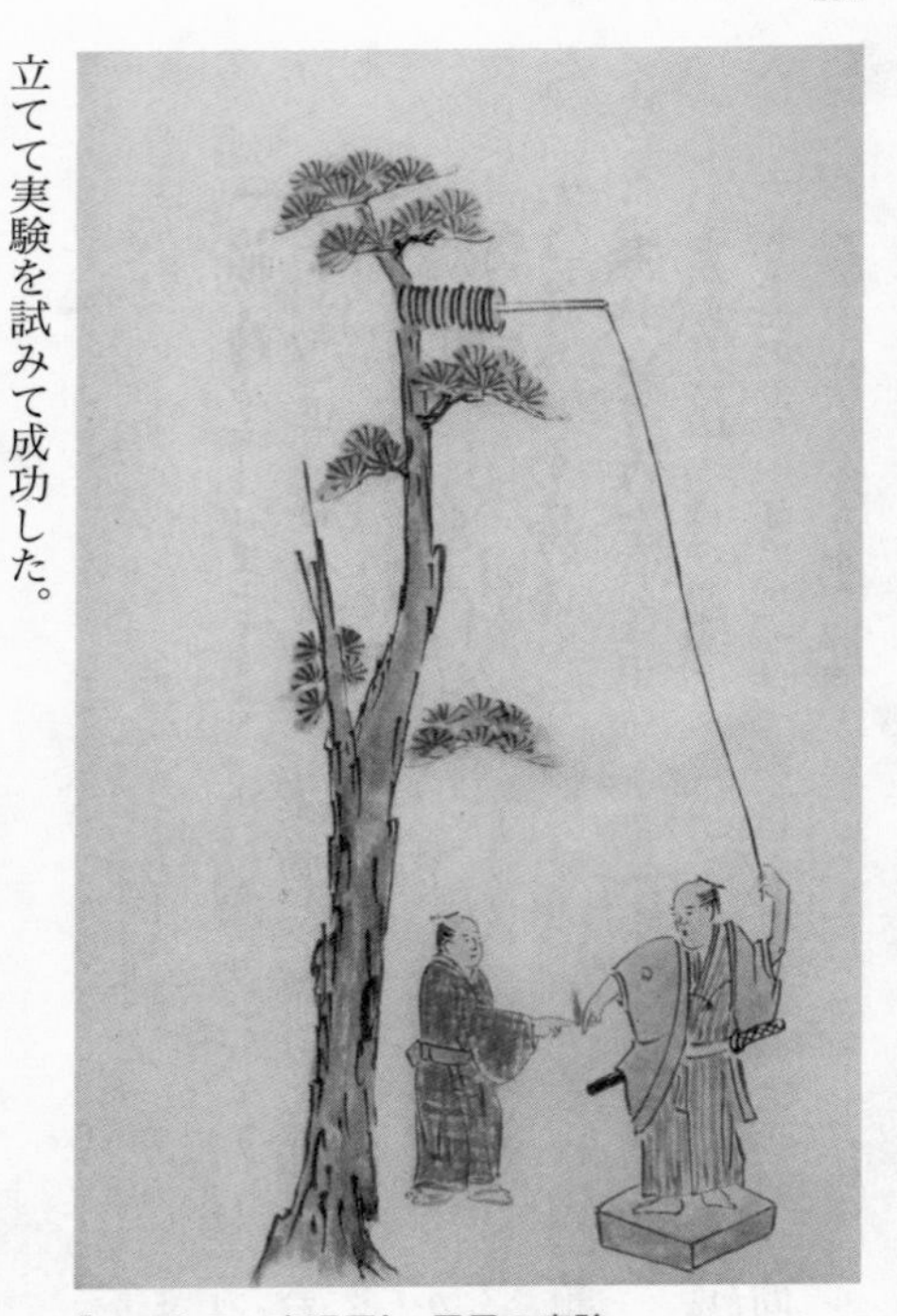

『エレキテル究理原』　雷雲の実験

立てて実験を試みて成功した。

フランクリンはこの実験のニュースを聞いたが、フランスの学者たちの棒は雲まで届いていないので、雷雲で帯電したかどうかは確実ではないと考えた。そこでフランクリンはあの有名な凧の実験を考案したのである。凧は絹張りでつくられ、糸が手にふれるところは絹のリボンとして絶縁しておいた。やがて雷雲が来た。リボンと凧糸の間に結んでおいた鍵のところに彼が指を出すと、火花が飛んだ。またこの糸をライデン瓶につないで瓶に電気をためることもできた。雷が電気であることはこうして確実になった。

それから約六〇年ののち、日本の和泉の国の熊取村の郷士、中喜久太家の庭には巨大な松が生えていた。高さは三八メートルほど。喜久太の学問の師は大坂の橋本宗吉、当時有名な蘭学者だった。喜久太は宗吉からエレキテルと呼ばれる、ふしぎな現象を聞いていた。雷もエレキテルの一種であるという。そこで喜久太は庭の松の頂上近くに桶をとりつけ、そこから竹を突き出し、その先に針金をつけて地上にたらした。そして自分は木の台に乗り、針金を左手でもつことにした。ちょうど雷雲の来た日、喜久太はひとりを呼んで、自分の右手を相手の指に近づけた。ふたりの指の間で火花が散った。天のふしぎな火を、手もとにまでひきよせることができたのである。喜久太は喜んで大坂に出たとき人びとに告げ、またその光景を画いて師の宗吉に贈った。宗吉は喜んで事のいきさつを、彼の著書『エレキテル究理原』に記した。

橋本宗吉の祖父は阿波の人である。その息子の伊平は大坂に出て、堀江で傘の職人となった。仕事は傘に紋を画くことだった。宝暦一三年（一七六三）に男の子が生まれた。宗吉である。小さい時から紋かきの仕事をやらされたが、記憶力が強く、奇妙な才能のあることが評判となっていた。

この才能に眼をつけた人があった。大坂、長堀川の富田屋橋の近くに大きな質屋を開いていた間重富(はざましげとみ)、ふつう十一屋五郎兵衛と呼ばれた人だ。この重富はただの商人ではなかった。上方には古くから町人学者の伝統がある。重富は天文学者、暦学者として塾を開いていた麻田剛立の門下生だった。間はのちに高橋至時とともに幕府に召し出され、寛政の改暦御用をつとめたほどだった。

いまひとり京都の医師小石元俊も宗吉に注目した。元俊は若狭の小浜の人、永富独嘯庵について学び、長崎にも行きのち京都に戻って医師となった。彼は杉田玄白の『解体新書』を読んで、西洋医学の説のすぐれていることを知った。そこで玄白に手紙を出していろいろ質問し、天明五年の秋に玄白が来京したのをとらえて、疑問を熱心に問うた。またそののちに江戸に上って大槻玄沢の門に入り、約一年ほど滞在した。オランダ語はできなかったが、西洋医学を重視し『解体新書』をテキストとして弟子に講義した。「これ関西の人を誘発せるの一つなり」(『蘭学事始』)と玄白は書いている。

間と小石は大坂にオランダ語のできる者のいないことから、新しい世代の出現することを求めていた。そして宗吉の才能に着目したのである。つまり新進の宗吉に正規のオランダ語を学ばせ、大坂に蘭学の芽を育てようとしたのだった。

二人の力によって宗吉は江戸に出た。そして当時蘭学の中心であった大槻玄沢の塾、芝蘭堂に入学した。宗吉二七、八歳のころといわれる。彼はすぐにそのすばらしい才能を発揮した。四か月にオランダ語四万を記憶したと伝えられる。さらにその才能は天文、暦学から医学にまでひろがっていった。

宗吉はやがて大坂に戻り、そのオランダ語の才能と、江戸で鍛えた西洋科学の知識を、十分に発揮することになった。間が新しい暦の制定のための天文観測をする時には、すぐれた助手として働いた。また小石のためにはヨハン・パルヘインの解剖書の翻訳を試みた。小石はこれをもととして漢文体の書物として出版しようと考えたが、西洋のテキストに必ずついているみごとな銅版画は、どうしても再現できない。解剖図のない解剖書は意味がない。小石はついに出版をあきらめてしまった。

寛政八年（一七九六）には「喎蘭新訳地球全図」を作った。最初に日月五星の動き、アジア、アフリカなどの五大州の記事をのせ、さらにメガラニカを加えた。メガラニカは南半球にあるとされた仮想の大陸であり、これをとりいれたのはあまり新しい知識ではない。なお以西把尼亜（イスパニア）大臣閣竜（コロンブス）、墨瓦蘭（マゼラン）の名もみえる。

享和の始めごろ宗吉は、大坂の安堂寺町に塾を開いて絲漢堂と称し蘭学を教え、同時に医師として病人の治療もするようになった。またリースの薬剤書を翻訳して『蘭科内外三法方典』と題し、文政二年（一八一九）には『西洋医事集成宝函』（二四巻）を編集した。しかし出版されたのははるかにおくれて安政二年のことであり、それも六巻までにとどまった。

さきに記した雷と電気の同一性を証明する実験をした中喜久太郎も、この絲漢堂の門人だったようだ。また門人のなかには幕末の実用農学者として知られる大蔵永常（おおくらながつね）もいた。彼は宗吉のもとで、人体の生理を知り、そこから農耕作物の植物生理を考えようとしていた。

宗吉は才にまかせて、多くのオランダ書に読みふけった。そしてオランダのエグベルト・ボイスの百科辞典、すなわち当時ウォルデーンブークといわれたものや、ヨハネス・ボイスのナチュールブック（自然誌）などから電気のことを知った。そこでこれをもととしてまず『エレキテル訳説』を書いた。彼はその序文で次のようにいう。

「西洋のエレキテルは第一に物理学のものである。世人がおもちゃと見なしているのは悲しむべきことだ。自分は今オランダ人ボイス先生の説を翻訳して、人びとの知識を広めようと思う。また器械の図数個を写して、すでにこの器械ができる便をはからっておこう。これで医師が病を治療する原理を知ってもらいたい」（原文、文語）

平賀源内の章で記したように、これまで知られていたエレキテルは医療用の器械であり、あるいは火花をとばしたり、多くの人びとを感電させショックを与えて驚かせる、見世物的なおもちゃだった。それが窮理学—物理的な自然科学の問題であることを、はっきりと指摘したのは宗吉が最初だった。

のちに書いた『阿蘭陀始制エレキテル究理原』にも彼は同様のことを論じた。この書は出版をついに許可されなかったが、文化八年（一八一一）の序文、文化一〇年の跋文がある。だからそれ以前にすでに完成していたものだ。彼はそのなかで、

「エレキテルは天地の巨大な世界からけし粒ほどの小さな世界に至るまで同じ理を通じていることを知らせるものだ。風雨、雷電、地震、流星などの天界の現象をそのまま人間の手近な目前のところで実現させ、試験できるものだ。ごく手近なところに、天地を写した小宇宙の動きを知ることが出来るのは、礼楽仁義道学の一助ともなるであろう……」

（原文、文語）

エレキテル

と説いた。自然界のすべてに一個の理―法則が支配することを、彼は理解した。しかしそれを知ることが、すぐに人間の倫理や道徳の発達の助けとなるとの考え方、自然認識

をそのまま道徳に結びつける考えは、やはり江戸期の日本の学者通有の考えだった。すべての学問は道にあり、すべての学問は人間そのものに帰着せねばならない。自然認識は認識として独立するのではなく、人間の行為に結ばれる。のちの明治の日本の科学者たちが、科学をもって文明開化の運動を支えるものとし、富国強兵をみちびきだす重要な方法と考えたことと相通ずる意識だった。

彼は『究理原』でエレキテル、すなわち摩擦起電機の製法をくわしくのべた。そしてエレキテルの気で紙人形を踊らせる方法とか、エレキテルの火の力で蛙やねずみ、雀などを気絶させる方法などの実験を記した。なかには「ふすまごしに百余人を胆つぶさせる」方法もあった。百人おどしといわれたものである。絲漢堂の隣に旭昇堂という百余人の生徒のいる塾があった。宗吉はこの生徒たちの手をつながせ、ふすまごしにふすまの引手金具を通じて電気を送り、百余人に電気ショックを与えてびっくりさせたのであった。このように宗吉はエレキテル―起電機を単に医療用の器具としてだけではなく、電気の性質を知る器具として、いろんなデモンストレーションを試みたのだった。「百尺の鉄ぐしにて天の火を取事」、すなわち中喜久太の実験した雷雲の実験方法もこれに記される。ただ百尺の鉄ぐしとあるから、フランクリンのものではなく、フランスのドロルの実験のことであろう。

文政八、九年ごろに大坂の堂島あたりで京都から来る一老女が、加持祈禱にすぐれ、吉凶を占い、信仰によっては家運が隆盛となるとのうわさが高くなった。大坂の町奉行所ではこのうわさをひそかに捜査したが、やがてその根元となるのは、京都の八坂に住み、易占や祈禱を業としている、老女豊田貢であることが知れてきた。貢は五四歳、稲荷社を庭内に祀り豊国大明神と称し、紋にはひょうたんを用いたひとくせありげな老女だった。一〇年六月、大坂の町与力、大塩平八郎は貢を捕えた。大塩はのちに大坂で有名な乱を起こしたその人だ。貢を取調べた結果、彼女は水野軍記なる人物から、当時きびしく禁じられていた切支丹の教えを受けたことを自白した。

軍記の伝えた教えは天帝如来と称する画像を礼拝し、深夜に深山で水を浴びて動かぬ強い精神を養うのであった。またたえず唱える呪文は「センスマルハライソ」というものだった。これは切支丹の人びとの用いた「ゼス・マリヤ、ハライソ」の変わったものと考えられる。ハライソは天国のことだ。また病人があれば紙人形をつくり、これを板に張り、病むところに釘を打ちこむ。これをくりかえし、一心に天帝如来を念ずれば病は治るというのだった。天帝如来の画像は奇怪なもので、左手に小児、右に剣をもち髪をふりみだした女性の姿をしていた。キリストとマリア、しかし剣の加わっているのは奇妙である。また女神をウスメのミコトと呼び、ウスは天帝デウスのウスであるといっていた。

しかしこの内容だけでは禁制の切支丹とはいいにくい。文政一二年、江戸の評定所はこの問題を裁決したが、こうした異術で人を驚かしたぶらかすことはいくらもあることだし、切支丹とは必ずしも断定し難いとした。しかし、この裁決を受けた老中たちは、これを切支丹でないとして、改めて取調べをし直すと、かえって世の疑惑を招くことになる。大塩平八郎たちが切支丹と見込んで検挙した以上、やはり切支丹として処罰した方がよいと議決した。まさに政治的判断による決定だった。そこで貢以下六人は大坂を引廻しの上、はりつけの刑に処せられた。

この事件が橋本宗吉の運命を狂わせた。このはりつけになった中に二人の医師がいた。一人は伊良子

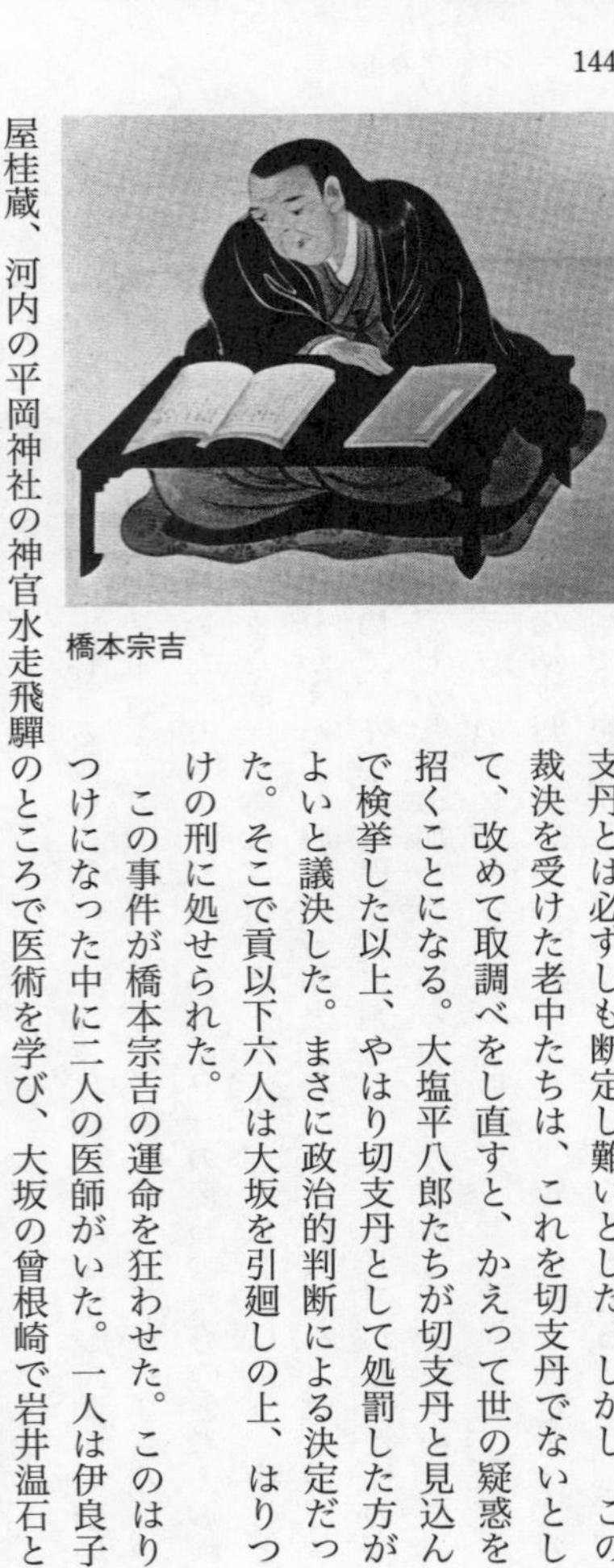

橋本宗吉

屋桂蔵、河内の平岡神社の神官水走飛騨のところで医術を学び、大坂の曾根崎で岩井温石と称して開業していた。彼は貢とは親しく、京都の祇園二軒茶屋で宴席に列したこともあった。

桂蔵は飛騨のところにいた時、時折やはり医師藤田顕蔵の処へ使いに行った。藤田は阿波の人だが、大坂に出て医術を学び堂島新地の医師、藤田幸庵の養子となった。彼は学問に熱心で、各方面に手をのばし、橋本宗吉の絲漢堂にも出入りすることになった。顕蔵は西洋医学からしだいに西洋一般の学術にも関心をもち、天文、暦学、地理、宗教に至るまで多くの

西洋関係の書物を集めていた。桂蔵はこれを知っており、つい取調べの際にこのことを告げてしまった。

顕蔵はすぐさま捕えられ、家は捜索された。その結果当時日本で禁止されていたキリスト教関係の書物三八部のうち、九部十五冊、燃犀録稿一冊、踏絵写し四枚、またそれにまぎらわしき書類九部十二冊を所蔵していることが明らかになった。しかも彼は取調べに当たって、西洋ではキリスト教は正当な宗教と考えられている。とすれば切支丹がそうした奇怪な術を行なうとは思われぬと述べたために、罪はまぬがれないことになった。そしてついにはりつけの極刑となったが、彼はそれ以前に獄中で病死したという。大阪の中野操氏所蔵の文政三年版大坂医者番附では藤田顕蔵は学医のトップ大関である。しかも彼の師だった橋本宗吉は十三枚目、藤田がいかにすぐれた評判高い医師であったかが知られよう。

この一件は師たる宗吉にも非常な打撃であった。門人はたちまちに減り、病人も来なくなった。宗吉は娘の嫁いだ蘭医中環の家でその寂しい晩年を養い、天保七年（一八三六）五月一日、七四歳で歿した。墓は大阪の上本町四丁目念仏寺である。

最初の自然哲学者
——三浦梅園——

享保八年（一七二三）の八月二日、豊後国、国東郡の富永村に、すばらしい秀才の子供が生まれた。名は晋、字は安貞であった。彼は幼い時からうす気味わるいほど鋭い才能をひらめかせた。のちには家の庭に多くの梅があったので梅園と号し、また村の西にある二子山にちなんで二子山人などともいった。父は庄屋をつとめ医師も兼ねていた。

家に近江八景を画いた屛風があった。八歳の時である。彼はその図の意味をたずね、父はつぎつぎと八景の説明をしてやった。やがて唐崎夜雨の図のところで晋は言った。景色とは目に見えるものだ。夜の闇黒のなかで景色の見えるはずがない。夜の雨とはひとつの感情の表現だ。これを景色の題とするのはおかしい。この話を聞いた人びとは、その厳密な頭の働きぶりに驚くばかりだった。

もちろん晋は読書を好んだ。しかし家は貧しかったのでまとまった書物とてない。しかし彼は手当たりしだいに読みふけった。そのなかには読めない字も出てくる。しかし字書はなかった。それで彼はむつかしい字に出会うとそれを書きだしておき、数十字もたまると一里ほど離れた寺にある字書をひきに出かけた。それが一月のうち数回にもなったといわれる。また詩を作ろうとしたが、いいテキストは家にはない。ただ『三体詩』といわれるありふれた詩集が一部だけあった。晋はこれを熟読しやがて数十の詩をつくってみせた。

十六歳、杵築の城下へ出て綾部絅斎のもとで学ぶことになった。絅斎は傑出した天文学者麻田剛立の父で、すぐれた儒学者であった。彼は京都で室鳩巣、伊藤東涯らに学んだ経歴をもっていた。翌年、豊前中津の儒者である藤田貞一（敬所）は、晋の秀才ぶりを聞いて彼を呼びよせ、ついには自分の家をつがせようとさえした。しかし晋は三浦家にとっても一人子であった。そのためこの話は成立しなかった。

彼は少年のころから自然そのものについて考えた。自然に関するさまざまの疑問がとけず、時には寝食を忘れることさえあった。二〇歳をこえてから彼は天文学を知った。天象をながめまた自分で観測器械をつくり、また天球儀も製作して、自然のあり方を考えつづけたのであった。そして三〇歳のころ、はじめて自然に関する自分独自の思考の体系をつくりだすことができた。

天地、すなわち自然は気物だ。気は一元気、宇宙に充満するものだ。それとともに物、現象がある。しかし物と気が併存し対立してあるのではない。物を考えれば気はないといってよく、気を考えれば物はないといってもよい。ただ人間が働きかけるとき、はじめて物はとらえられる。だから陰陽は元気が用として変じたものと知れば、一元気から陰陽の二気を知ることができるし、気物について働きかければ、それが自然として人間の智にとらえられるのである。

天地には現象としてあるものと、かくれているものとの限界がある。この極限にまでつきつめると、それがはじめて自然の本質なのだ。陰陽にも天と神の極限がある。そこまで到達してはじめて陰陽二気の世界が認識される。

陰陽の二気はいつも天地と相補的な存在である。一方のみ知って一方がそこから導かれるというものではない。しかも天は無限の外に存在する。地は完全な安定の内部に存在する。その存在の極限が玄界である。

こうして彼はみずから条理の学と呼んだ自然哲学、論理学を独創した。そしてまず『玄語』を書きはじめた。三一歳の時である。それが完成したのは五三歳、実に二〇余年に及ぶ思索の結晶だった。

『玄語』は学問の原理論であり、認識論であった。その構造は次のようになっている。

例旨　十七条
本宗　陰陽・天地
天冊　活部　道徳・天神・事物・天命

天冊　立部　本神・鬼神・体用・造化
地冊　没部　天界之冊　宇宙・方位
地冊　露部　機界之冊　転持・形理
　　　　　　体界之冊　天地・華液
　　　　　　性界之冊　日影・水燥
小冊　人部　天人・給資・言動・設施・人道・天命
小冊　物部　大物・小物・混物・粲物

この題目で彼の思考の体系がほぼ推測できよう。二冊の天のうちでは活と立が対応し、地では没と露が対応する。同時に活—没、立—露が対応する。人、物は小冊にふくまれるが、ここにまた天、地、小の三つの基本が立てられている。

彼のいう条理は論理の法則、弁証法だった。『玄語』のなかで彼は説く。「一一は陰陽なり、之を条理となす」。そして陰陽は「対待の一一なり」なのである。「条理は一一なり、分れて反す、合して一なり、是を以て反観合一なり」とは、弁証法そのままである。また「対待は天地の条理」であり、「配当は人為の処置」である。この人為について天は何も関知しない。人間に男女があるのは偶であり、対待である。この男女が夫婦となるのは人為の配当である。だから夫婦はその配当の変わることもある。しかし男女の本質はすこしも変わることはない。

この条理の根幹となるものは理であり、その理は自然そのものであった。つまり普遍の自然である。だから彼の理は観念ではなく、現実を現実たらしめるものであった。この現実としての理に対立するのが「故」であった。彼はいう。「已然なる者はまた故という。当然なる者はまた理という」。また「以然たる者は昭(あきら)か、所然たる者は冥(くら)し、所然たる者は故、以然たるものは理」。ここで故は現実に対する歴史性なのである。歴史的なもの、それはいつも現実と対立して存在し、それによってはじめて真の普遍性が成立する。

梅園はこの『玄語』の完成に非常な努力をはらった。はじめに原稿を書き改めること一五回、しかし満足できずすべてを棄ててまた新しく起草した。それから四年たったがその間にもまた三度も原稿を書き替えた。これについて彼はまた一年ほど考えた。また新しい考えが起こり、それから六年の間にまた五度も書き改めた。宝暦三年（一七五三）から安永四年（一七七五）の完成まで、実に二三年、その間に二三回も原稿を書き改めたのである。彼は最後に書いた。「知らず、天之に年を仮し、特に其の業を卒へしめんとするか、特に其の志を奪はんとするか、是に於て感無きこと能はず、書して以て佗(た)日を俟(ま)つ」

『玄語』に全力を集中しつつも、梅園はその間に『贅語(ぜいご)』、『敢語(かんご)』の二冊を書いた。これを合わせて梅園の三語という。『贅語』は天文から医学、動植物、人事などいっさいの自然に関する知識を集めたもの、『敢語』は人間の倫理、道徳を説いたものであった。

安永七年（一七七八）、『玄語』も完成して自分の哲学的な態度も確立した梅園は、八月長崎旅行に出発した。長崎では通訳として有名な吉雄幸作（耕牛）に逢い、オランダに関する多くの知識を得、アルファベットなども知った。オランダの天文書や本草書、ケンペルの『日本誌』も一見することができた。彼はこれらの新しい知識をむさぼるように吸収し、それをノートした。これをまとめたものが『帰山録』として知られるものである。その最後に梅園は書いた。

「松村元綱（長崎の通訳官）と西洋の事を語り合ったところ、松村は西洋の学はつまるところ窮理の学だと言った。物の性を知ることに努めるのである。この性を知って物をつくるものである。ここでいう性や窮理はもちろん中国宋代の儒学者のいうものと同じではない。が西洋の学はよく物の理を推しきわめ、物の性の根本に至ろうとするものだ――」（原文、文語）

独創によって日本人として最初の自然哲学をうちたてていた梅園が、オランダの書物や輸入されたいろいろな器物を通して感知した西洋科学に対する感想がこれであった。

梅園は中国の隠士を理想とした。隠士とは官に仕えず田園のなかにあって、学問や文学に専心する人びとのことである。そのため二五歳の時に玖珠侯が召抱えようとしたときにもこれを辞退した。また久留米侯が招いたときやはり辞退した。その生活は学問中心であったが、決して偏狭なこともなかった。朝起きると必ずまず祖先の位牌を拝さなければ何事も始めなかった。祖先の墓は家の南、数百歩のところにあった。梅園は壮年のころは一日に三度、老年になってからは二度、必ず墓参りにゆくのだった。もし何か事があって行けなかったときは、深夜になっても必ず参りに出かけ、日課をくずすことをしなかった。

生活はまことに質素で、飲食にもほとんど好き嫌いをいわなかった。門人に貧しい者があると黙って食べさせてやり、来客には誰であろうと質素ながら必ず食事を用意した。年末には貧しい人に米を恵むことを慣例としていた。またある年からは、貧しい者を救うために、家々から米や金を集めてこれを梅園が管理することにした。そして豊年にはさらに積みたててゆき、凶作の時にはこの備蓄した米や金で困窮する者を救うことにした。そのため村では凶作の時にもあまり苦しむ者はなくなった。

彼は一日じゅう書物を手から離さぬほど熱心に読書し、また思索して原稿を書きつづけた。しかし来客があると、べつに断わったりいやがる風もなく、悠々といつまでも座談するのであった。そのため村のもめ事についても、すぐ相談に乗り、おだやかに道理を説いて聞かせるので、誰も不平に思う者はなかったという。また孝子、節婦などと善行のある者で、しかも誰も知らない者をとりあげ、時にはこれを藩の政府に知らせて表彰されるようにとり計らったりもした。

付近の十いくつの村が連合して一揆を起こそうとしたことがあった。梅園は一揆が城下へ入ろうとする際に、道ばたでこの人びとを説得しついに一揆を静めてしまった。また神官数十人と仏僧とが争いをはじめ、村人もこれに同調して大きな騒ぎとなったことがあった。誰も仲介する者がない。しかしこの時も梅園は、両者の和解をはかり、まとめてしまったのである。

梅園の塾には多くの門人が集まった。しかし彼は人はそれぞれちがった好みがある。一律に教えることは意味がないとした。それで自分の哲学についても、関心をもつ者以外には、しいては教えようとはしなかった。梅園の書いた「塾制」のなかに次の言葉がある。

「私は二子山のふもとの農夫である。労働して課役を果たすのが自分の本分であった。しかし幸いなことに父の遺産によって、小作人にまかせ自分で働かずともよくなった。これは父の賜物である。とすると自分が肩をならべられるのは工商の人である。自分の下にあるのは俳優、乞食などにすぎぬ。しかしもともとそうした身分を論ずる気もない。まるでコウモリのような立場だが、世間で鳥とされてしまった。そして一日の長があるとして人びとに推され塾を開いている。もともと人を教えるほどの学を積んでもいないのに、厳然として人びとの上に立つのも恥ずかしいことだ。しかし一日の長ありと推された以上、辞する事もできぬ。それで塾の主人となった。私が塾長でいるのは人びとが謙遜だからである。自分に教授の徳のないのは自分のよく知っていることだ。だから塾内での位置は、すぐれた多くの人びとの上に立っていることを許されたい。一旦門外へ出たら私は一農夫にすぎぬ」(原文、文語)

いかにもおだやかな隠士の風貌、また自己を律するにきびしい学者の態度のうかがわれる文である。また彼に「戯れに学徒を示す」の一文がある。これまた学問に対するきびしい自省にみちたものだ。

一、学問は飯と心得べし、腹にあくの為なり、かけ物などの様に人に見せんずる為にはあらず
一、書物は金貸しの帳のやうなるもの也、金なき人のもたらんは、渋紙ふむほどの用にこそ
一、学問はくさき菜の様なり、とくとくさみを去らざれば用ひがたし、少し書を読めば少し学者くさし、余計書を読めば余計学者くさし、こまりものなり
一、学問を芥の様に思ふべからず、上に浮きたがる程に下地の水も今は飲まれず
一、学問は置所によりて善悪わかる、臍の下よし、鼻の先悪し
一、学問は軽業のやうにするがあしし、軽業は人を目の下に見下し、人の頭をふむもの

なり
一、衣裳美しく飾り、人に好かれんとするは売女なり、人の見る時所体をなし、人にほめられんとするは歌舞伎の者なり、今の学者はどうやら此真似する様なり
一、碁の打ち様は、いつにても先を取れば負けぬものと我も知れり、とかく道理はのみこみよし、態のきかぬが笑止なり
一、足の皮はあつきがよし、面の皮は薄きがよし、人諸共に小ざかしく口はきけど、行ひは女童に見限らる、さる故面の皮あつくなり、足の皮薄くなり、株ふむ事多し、よく心得てつつしむべし

これは決してたわむれの文ではない。真剣に学問に志す人の意であり志であった。「天文地理、天行の推歩は西学入りて段々精密にいたり候へども、それはそれ切にして、天地の条理にいたりては、今に徹底と存ずる人も承らず候」と。この徹底こそ梅園の思索の本質であった。

彼は老境死にのぞんでもその端正な日常の態度を変えなかった。彼は家人や門人たちに別れの言葉を与えたのち、自分を正しく南に向かわせ身体を正しくせよと命じた。そして新しい衣服に着かえ子の黄鶴に著書を一通り改めさせ、そののち悠然と亡くなった。寛政元年(一七八九)三月一四日、六七歳であった。儒学の人としてその正道をふみつつ、しかも独

創にみちた思想家であった三浦梅園は、死に至るまでまた独自の哲学の上に生きた人だったのである。

自然哲学の展開者

——帆足万里——

豊後国は三浦梅園のほかに、いまひとりすぐれた思想家であり、かつ科学者だった人物を生んだ。帆足万里である。父親は通文、日出藩の家老職であった。万里は二番目の子であった。字は鵬卿、万里が本名である。通称は里吉といった。安永七年（一七七八）生まれ、当時三浦梅園は五六歳、成熟した学者となっていた。

彼は幼い時から秀才として有名で、ことにすばらしい記憶力をもっていたという。寛政三年、一四歳の時から、日出から四キロほどの小浦に住む漢学者脇愚山につくことになった。一四歳の少年は毎日小浦まで通学した。しかも彼は家に戻っても夜おそくまで勉学をつづけるのだった。毎日、厚さ六センチほどずつ中国の書物を読み、同時に文章を作ることを日課とした。

二一歳の時には大坂に出て中井竹山についたがほどなく戻り、二四歳には福岡に住む有名な学者、亀井南溟に会った。南溟はこの時五九歳、また一流の学者として知られていた。翌年には京都に出てこれまた当時一流の皆川淇園を訪れたのである。このころの彼はすでに学者として藩中で重んじられ、四人扶持を与えられていたが、この年から書物料として毎年金二両を賜わることになった。そして二七歳には早くも藩学の教授となった。

万里は体格大きく背も高くて威厳のある風采だった。しかしあまり礼式にはこだわらず、衣服などにも無頓着だった。のちに家老となったときも、袴などはゆがんだままで着けていた。食事も台所で簡単にすませ、自分で炊事することさえあった。万里の名をしたってたずねてきた人が、案内をこうと、台所から袖無羽織を着けた男がむぞうさに出てきて、万里は俺だ、というので来客はびっくりしてしまったなどの話も残っている。

彼は空論をきらい実用の学を重んじた。武家の間では一般に数学に不得手の者が多く、計算や算術は商人のすることと軽べつする傾向すらあった。万里は国家の財政の基礎をつくるには、計数に明るくなければならぬことを説き、自分でも数学を学び、また弟子たちにも奨励した。また三六、七歳のころにはあらためて医学をも学んだ。もちろんこのころは中国医学である。

彼の記憶力は相変わらずするどく、幼少のころから読破した書物の量はたいへんなものだったが、みな藩の蔵書や他人から借りたものばかりだった。それで家には書物とてほとんど持っていなかった。ただのちには長崎から買いいれたオランダ書、二冊、オランダ語の辞書として知られていた『訳鍵』、それに古びたソロバンがあるだけだった。

彼の記憶力を伝える話がある。ある日外出の途中に彼は夕立にあった。そこで道ばたの染物屋に雨やどりして、たいくつまぎれに傍らにあった帳簿を開いて見ていた。そののちこの染物屋が火災にあい、帳簿も焼いてしまって困っていた。すると万里は帳簿中に記してあった人名、住所、染色、紋所などすべてを思い出して教えたので、染物屋の主人は大いに喜んだという。これが事実そのままとは思えないが、とにかく彼の記憶力の強かったことが想像される。万里は弟子についてもほとんど自由にその志すところを教え、個性をのばすことにつとめた。またそれぞれの特長を見つけだしてのばすことにも、よく注意していた。ある弟

帆足万里

子のごときは、数年も万里について儒学を学んだがいっこうに進歩しなかった。万里はその弟子が学問に向かぬとみて、別の道をとるように勧めたが弟子は聞きいれなかった。ある日万里が弟子と雑談しているとき一匹の猫が近づいてきた。

万里はこの猫をみて、これはなかなか姿のいい猫だ。しかし惜しいことに尾が長い、と言った。するとさきの弟子はいきなりかみそりをもってきて、猫の尾を

みじかく切ってしまった。万里は手を打って大笑いし、お前の今の手ぎわならば医師がよい、ぜひ医師になれと強くすすめた。そして麻酔薬で有名な紀州の華岡青洲（はなおかせいしゅう）のもとに紹介してやった。案にたがわずこの弟子は外科にすぐれた才を発揮し、数年ののちに豊後に戻ってきて、小田魯庵と称して豊後第一の外科医となった。

けれども教育そのものについてはきびしかった。晩年六五歳、日出の西郊に塾を開いたときは、素読生、四書生、五経生の三段階を設け、試験を課して上下させた。また弟子のなかのすぐれた者をえらんで算術や武芸を教えさせ、また各地を旅行させて身体をきたえさせた。塾の規則は厳格で、違反者はきびしく罰せられ、最も重い時は破門された。しかしその行ないが改まればまた復帰させた。そこで万里門下の高弟として知られた毛利空桑も、三度まで破門されたほどであった。

彼は同国の学者、三浦梅園を深く尊敬し、その自然哲学に強く打たれた。彼は自然を考えるにはやはりオランダを通じて西洋人の考えを知らねばならぬ、と考えた。しかし日出ではとてもオランダ語の教師などいなかった。彼はそれでもようやく藤林普山の『訳鍵』を入手することができた。これは稲村三伯の作った日本最初のオランダ語の辞書『ハルマ和解』を簡単にしたものである。万里は『訳鍵』一冊でオランダ語の勉強をはじめた。一方、長崎へ人をやって借りてきたオランダの書物を、この辞書ひとつを便りに読みはじめたのである。万里はもう四〇歳をこえていた。しかし彼はたゆまぬ努力をつづけ、数年ののちにはどうやらオランダの書物を読むことができるようになった。

文政から天保のころ、日出藩は財政が苦しくなり、藩主の江戸への参勤交代の費用から、家臣の俸禄まで欠乏するほどだった。藩政の改革がつよい要求となってきた。藩主木下秀真はこの時万里を起用して、この難問を解決させようとした。万里ははじめは固く辞した。しかし藩主はいく度も万里の出馬を求めた。そこで万里は改革の大任に当たるには、どんなことにも藩侯が口出ししない、という条件のもとに家老に就任した。

彼はまず徹底した人事の改革を行ない、家老や諸役人の多くを免職とし、また自分の門人中の藩士をそれぞれ必要の部処に配置した。ついで藩をあげて倹約をすすめることにし、まず会計の整理をはじめた。従来の帳簿を総点検し、きびしくこれまでの失政を追究した。このため罪に問われる者もあり、なかには自殺する者まで出て、万里を怨む者も多かった。しかし万里はすこしも動揺せず、実に三年にわたって厳格な政治をつづけたのである。その結果、藩政や経済もほぼ復興することができた。

彼の政治思想を述べたものに『東潜夫論』がある。彼の中心は儒教であり、儒教の道徳と哲学によって政治を行なおうとするものだった。そのためには身分差別をきびしくし、清廉潔白なることを求めた。「下役タルモノ、公事ニアラズシテシバシバ上役ノ家ニ出入シ、酒宴ノ席ナドニ列スルハ乱国ナリ、町人ナド心易ク出入スルハ尤アシキコトナリ」といい、「諸侯ノ国、地利ヲ尽スハヨシ、商売ノ事ハナスベカラズ」とも述べている。天保のころ、諸藩は多く各地の特産物を奨励し、これを積極的に売り出すことによって藩財政を救おうとした。しかし万里は儒教道徳の見地から、この種の新しい経済開発を斥けたのである。

けれども万里の政治はあまりにきびしい改革であり、反対する者もしだいに多くなってきた。ついには藩侯もその急速な改革に眉をひそめるほどになった。万里はこれをみてすぐ家老を辞した。天保六年(一八三五)、彼は五八歳だった。これ以後彼は塾を開いて専心教育につとめ、一三年には新しく西崦精舎を建ててここに移った。各地から彼の高名を聞いて集まる者数百人と伝えられる。

彼は門人の教育にあたるとともに大著『窮理通』を書きはじめた。その完成は天保七年ごろとされる。彼はそれ以前にも『窮理通』という題のものを書いた。それは尊敬する梅園の条理の学問を、さらに一歩進めようとしたものだった。この書は文化七年(一八一〇)に出来上がり師の脇愚山が序文を書いた。けれども今日、この書は伝わっていない。万里は梅園が晩年に新しい窮理の学として注目していたオランダ、そして西洋の学の存在の重要さに気がついたのだった。西洋の窮理を知り、それによって理を考えることが、梅園よりもさらに深い理に達する道であろう。彼のオランダ語の学習もこの目的のために進められたのだった。「学問ノ道ハ宜シク其長ヲ取リ其短ヲハ舎(スツ)ヘキ也」(『医学啓蒙』)。そして彼は西洋窮理の書のいくつかをまず読破したのである。それはミュセンブロクの『窮理説』、ケルテルの『地球窮理説』、ラランドの『天文志』、スミルマン『地理志』、フリンセン『地理志』、イペイ『分析術録』、ウイルテノ『本草談』、リュランド『人身窮理説』、コンスペルフ『病因考』、ほかに三種の旅行記だった。そのほか志筑忠雄の『暦象新書』も早くから読んでいた。彼はこれらをもとにし、それに彼自身の立場である儒教にもとづいた批判を加えて『窮理通』を書いた。彼はみずから述べている。「西人ノ誤リニ至テハ改正スルモノ五六十条、是皆西洋名家ノ説ヲ破リシナリ、其中一条ヲ挙テ云ハバ、ケプレル衆動一貫ノ法ハ実ニ天文第一ノ秘訣ナリ、然トモ其術拙クシテ正理ニ達セス、余カ改正ノ術ヲ見テ西人ノ拙ヲ知ルヘキナリ」。

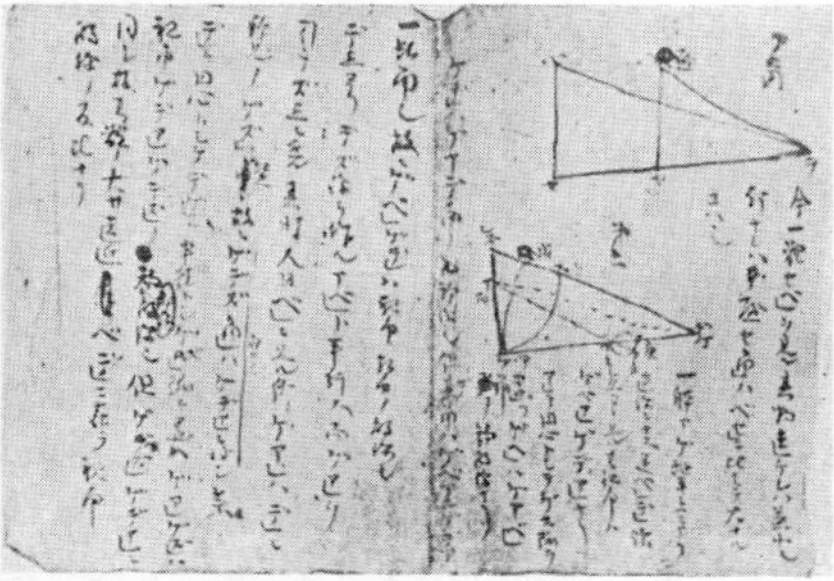

『窮理通』の原稿

　万里はやはり儒教の人であった。彼は決して西洋にそのまま降伏しない。医学でも彼は純粋のオランダ医学を排斥し、漢方とオランダとの併用を説いた。漢方は内科に弱く、西洋は解剖学が発達してこの点ではすぐれる。しかし西洋は外部にあらわれた徴候から病因を知ることは全くできない。この点では漢方がすぐれる。それで「済生の志アル人、先ヅ漢ノ医法ヲ学テ遠西ノ窮理ノ学問ニテ其不足ヲ補フベシ」（『医学啓蒙』）。

　これが万里の基本的な態度だった。そのため万里は自然の理解についてもやはり儒教を優先させ、これをアプリオリに用いた。月には海も湖もないという説に対しては、気と水は土質から生じる。月は土質だから気も水もあるのが当然だとしたのはその一例である。

『窮理通』は全八巻、しかし門人岡松甕谷(おかまつおうこく)によってのちに出版されたのは第三巻までだった。巻一は原暦、大界、小界、巻二は地球上、巻三は地球下、巻四は引力上、巻五は引力中、巻六は引力下、巻七は大気、巻八は発気、諸生となっている。最後に西洋各国の度量衡表を付録とした。

原暦は天文学の歴史、大界は恒星を、小界は太陽系について述べる。原暦ではギリシア神話やカルデア暦のことからコペルニクス、ティコ・ブラーエ、ケプラーなどに至る歴史や、ユリウス暦からグレゴリオ暦までの話がある。内容にはかなりの誤解も多いが、相当にくわしい歴史となっている。

引力の章ではニュートンが紹介される。これによって太陽系の原理が明らかにされた。しかし、と彼はいう。「引力は百物の発気たり、日星の光及び地球上の磁石、琥珀の二力即ち是の物たることを知らざるなり、是れ西人小界の用に於て未だ明晰なること能はず……」。彼は引力から光、磁力などに至るすべてを気に統一して考えようとした。ここには中国の宋代の哲学から出発した、三浦梅園の一元気の考え方の影響がみられるのである。

彼はまた宇宙の生成について「小界の初めて生ずる、太陽先づ成り、次を以て地球及び五星を噴出し、ついに輪転の動をなすと」を西洋人の説とし、これよりも志筑忠雄の星雲説の方がはるかにすぐれていると評価した。これは正しい見方といえよう。しかし万里にとって、西洋の学はやはり末技でしかなかった。序文で彼は記した。「故に君子の西洋に取るは、末技曲芸、亦雞馬の用と云ふのみ、学者或は其の言の頤なるを悦びて之れに儀る、是れ已に国家立防の道に非ず」。『窮理通』において彼が説こうとした本義はここにあった。

弘化四年（一八四七）万里は七〇歳となった。四月一〇日、彼はふいに京都に赴いて、東福寺内の采薪亭に宿った。岡松甕谷ら数人の弟子がつき従っていた。この上洛の目的は朝廷に献言しようとするものだった。弘化四年といえば、前年アメリカの軍艦は浦賀に来航し、天下の時勢は緊迫の度を加えてきた時である。万里は今や京都に大学を設けて教育を盛んにし、天下の士気を振興しなければならぬとした。もちろんその本質は儒教の王道である。しかし幕府のひそかな圧迫もあり、藩侯も彼の帰国をうながしたので、志を果たさずふたたび日出に戻った。

しかし万里の国事に対する関心はいよいよ強くなっていた。嘉永三年（一八五〇）万里七三歳の時、高弟の野本百巌を通じて、攘夷論者の筆頭、水戸の徳川斉昭に対して上書しようとさえした。万里の対外策は、第一に大船、巨砲を造り、古来の戦法を改めることであった。これによって外敵を防ぐばかりでなく、進んで海外にも進出し、フィリピンまで占領しようというものだった。このような趣旨は、はやく『東潜夫論』にもみえている。彼はそのなかで幕府十隻、大国は一、二隻、小国は二、三か国で一隻の大船を建造させ、八、九十隻もの大船があれば日本が外国からおびやかされることもなかろうと論じている。徳川斉昭に訴えようとしたのもそれであった。しかしちょうど斉昭は失脚し、百巖もまた藩の役人に召し還されて、この上書も失敗に終わった。

万里はもともとあまり健康にはめぐまれていなかった。彼はいつも言った。自分の家は代々短命でみな五〇歳前に歿している。自分は節制をつづけて長生きしてみたい。そこで彼は日常の運動を怠らず、飲食もつつしみ食事は一日二回、朝は粥しか食べなかった。そのためか、彼は七五歳の長寿を保つことになった。

嘉永四年（一八五一）、さすがの万里も病にたおれた。そこで西崦精舎をひきあげ、日出の城中の二の丸にある邸宅に戻った。門人たちはみな看病につこうとしたが、当時の藩の規則では他国の者は城内に入ることを禁止していた。ただ僧のみが許された。このため他国から来た門人は、みな万里の病床を見舞うことができなくなった。阿波出身の武三なる者は、わざわざ出家して僧となり万里の病床について看病した。万里はその気持を喜んだ。しかし一旦僧となった以上は、戒律を守りすぐれた僧となれと教えることも忘れなかった。武三はついに万里の死後もそのまま僧としてすごしたという。五年の六月一四日、万里は七五歳で歿した。

通訳から科学者へ
——本木良永・志筑忠雄・馬場貞由——

本木良永

杉田玄白の『蘭学事始』にこう記されたところがある。

「明和、安永の頃にや本木栄之進といふ人、一二の天文、暦説の訳書ありと也。其余は聞く所なし、此人の弟子に志筑忠次郎といへる一訳士ありき、性多病にして早く其職を辞し、他へゆづり、本姓中野に復して退隠し、病を以て世人の交通を謝し、独り学んで専ら蘭書にふけり、群籍に目をさらし、其中彼文科の書を講明したるとなり、文化の初年、吉雄六次郎、馬場千之助などといふもの、其門に入りて彼属文並に文章・法格等の要を伝へしとなり……」

この馬場千之助はのちに佐十郎と改名して轂里（こくり）と号し、宇田川榕庵（うだがわようあん）のオランダ語の先生となった人だ。

ところで西洋の科学史がコペルニクスによって一大転回をとげたことは有名なことだ。天動説から地動説へ。それは世界観の変革であり、人間の哲学にもふかい影響を与えたのである。そしてこの地動説を日本に初めて紹介した人が玄白のいう本木栄之進だった。

本木家はもともと平戸の松浦侯の家臣だった。が長崎に移って本木氏を称し、寛文四年（一六六四）からオランダ語の通詞をつとめるようになった。それ以後代々、本木家はオランダ通詞としての職を世襲してきた。ずっとのちの六代目昌造は、はじめて幕末の日本に活版印刷術を輸入した人として知られている。栄之進は三代目である。享保二〇年（一七三五）六月生まれ、名は良永、栄之進と呼んだが、のちには仁太夫とも称した。彼はその家柄のために一二歳の時からオランダ語を学びはじめ、一五歳で稽古通詞となり、以後五四歳の時には通訳官の高職、大通詞となって五人扶持を受けたが、寛政六年（一七九四）六〇歳の時に病気のために職を辞した。在職中の通訳としての働きや、多くのオランダ書を翻訳した功績によって銀一〇枚が与えられた。しかしほどなく七月一七日に病歿した。

彼は篤学の人、努力の人であった。ことに天文や地理学の書の翻訳に興味をもち、一一種に及ぶオランダ書を訳した。

天文関係の訳書のうちで特に重要なのが、安永三年（一七七四）に書かれた『天地二球用法』である。安永三年といえば、西洋医学の最初の訳書である、『解体新書』の刊行された年でもあった。この原書となったのは、一六六六年、アムステルダム版のウイレム・ヨハン・ブラウの天文書であった。そのなかで良永は、

「天文達識ノ人天ノ中心ト三光ノ運行ヲ思惟スルニ二説アリ、其一曰、地球ハ天ノ中心ニ居リ不動ニシテ七曜恒星ハ地球ノ円周ヲ運転スト。其一ハ太陽ハ常静不動ニシテ地球ハ五星ト共ニ太陽ノ周郭ヲ旋リ恒星天ハ凝住シテ不動ナリトス」

本木良永

と天動、地動の二説を紹介した。三光とは日月星のことである。そして天動説はヒッパルコスあるいはプトレマイオス以来伝えられてきたものだったが、約百年前に「ニコラアス・コペルニキュス」と「ティコ・ブラヘ」が出て、天球と地球の動きを明らかにした。この説によって作られた天地二球の運動を示す器械の使用法を記したのがこの書であるとする。つまり今日でもよく見られるような、太陽系の動きを現わ

す器械の使用テキストの訳によって、日本人ははじめて地動説を知ったのだった。

このコペルニクス説による太陽系の解説は、さらに寛政三年（一七九一）から五年にかけて出来上がった、『星術本原太陽窮理了解新制天地二球用法記』で詳しく説かれた。これはふつう『太陽窮理了解説』といわれるものである。これはイギリスのジョージ・アダムスが一七六六年に書いたやはり太陽系モデルの解説書を、ヤコブ・プルースがオランダ訳したものを原書として用いたのである。アダムスは数学や光学関係の器械のメーカーであった。

本木はこの新しい説の翻訳に大きな苦心を払った。太陽窮理とは今の太陽系のこと。また惑星、視差、遠点、近点など現在用いられるいくつかの術語は、実にこのとき本木良永によって創始されたものだった。この書によってコペルニクスの地動説が、プトレマイオス以来の天動説、ティコ・ブラーエの折衷説にまさることがはっきりとしめされたのである。そのほかケプラー、ガリレイ、デカルト、ガッサンデイなどが「窮理学及ビ性理学ノ基ノ動カサル所ヲ極メ」た人びととしてあげられている。なおこの翻訳は松平定信の命によってなされたものだった。

志筑忠雄

良永につづいて天文学を発展させたのは志筑忠雄（しづきただお）である。通称は忠次郎、号は柳圃（りゅうほ）だった。彼の家も本木家と同じように代々長崎の通詞の家柄であった。初代は寛永年間、初めて通詞となり、忠雄は八代目、宝暦一〇年（一七六〇）に生まれて、早くから稽古通詞となったが一八歳の時、病のために職を辞して以後は天文学に専心した。のちには本姓の中野にもどって中野柳圃ともいった。

彼は体質の弱い人だった。病気がちでいつも家では床に横になっていることが多かったという。しかし真に多病であったかはあまりはっきりしない。むしろ病と称して他人に会うことをさけ、好むオランダ書に眼を通していたようでもある。一個の隠者としての暮らしが彼の理想でもあったようだ。そして多くの書物を読破し研究したのだった。

忠雄はオランダ語を学ぶについてもまず文法に着目した。それまで口移し、耳伝えの語学は、志筑忠雄が文法の必要を強調したことで、ようやく外国語学書らしいスタイルをもつことができるようになった。大槻玄沢も「天明ノ初年、長崎ニ於テ中野柳圃トイフ人ヨリシテ、其正法起レリ」（『蘭訳梯航』）といっている。彼はオランダのセウイルやマリンの文法書を参考として文法を考えてこれを弟子に教え、文法の簡単なノートを作って「和蘭詞品考」と題していたという。しかし今は伝わらない。セウイルの文法書は通詞の西家にあったもので秘密の宝とされていた。西家のこの秘密の書を一読できたおかげで、忠雄はほかの通詞よりもはるかに正確にオランダ語を読むことができたのであった。門人の馬場佐十郎もまた熱心にこの文法書を見ようとして、ついに五日の期限で西家から借りだすことができた。彼は大急ぎでその大要をノートし、やがて『和蘭文範摘要』を作った。文化一一年（一八一四）のことである。大槻玄幹もその著『蘭学凡』で「此書は柳圃先生の遺物にして西土文科書の提要なり」と記して、忠雄の影響の大きかったことが知られる。

ついで彼は天文書の翻訳を始めた。現在知られているものには七種あるが、そのうち最も有名なのは『暦象新書』上中下三篇の訳書である。上編は寛政一〇年（一七九八）に、中編は同じ一二年に、下編は享和二年に完成した。彼はこの書に非常な努力を払い、早くも二三歳の時には未定稿をつくっていた。それらは『天文管闚』『動学指南』『求力論』の名で伝わっている。

原著はイギリスの天文学者ジョン・ケールで、ニュートンと同時代、オクスフォード大学の教授だった。ケールは近代科学の第一歩となったニュートンの『プリンキピア』の注釈をラテン語で書いた。これを中心としそのほかいくつかの付録をつけたものを、オランダのヨハン・ルロフスがオランダ訳した。オランダ訳は一七四一年にできている。ケールの時代から五〇年が経っている。志筑忠雄がこの訳に手をつけたのはさらに五〇年のちであった。

しかし『プリンキピア』は近代の数理的な力学の最初のものであり、この内容を理解し翻訳することは、それまで日本人に知られていた天文物理書のレベルからみて非常に困難な仕事であった。しかし忠雄のすぐれた語学力と理解力は、よくこのケールの著書を読解していった。重力、求心力、遠心力、加速などの今も用いられる術語は、新しく忠雄によって案出されたものだった。ニュートンの慣性の法則、振子、落体、引力の法則を用いての天体運動の説明、ケプラーの惑星運動の三法則、距離の自乗に反比例する万有引力の法則などニュートン力学の基本は、かなり明快に述べられている。もちろん天動説をしりぞけ地動説を支持している。また彼は訳のなかにも自分の考えや批評をさしはさみ、中国の天文書をも参考として用いて理解しやすいように配慮した。ニュートン力学の大要をこのように体系的に紹介したのは、日本、中国を通じてこれが最初である。

注意されるのは『暦象新書』の最後に付録としてつけられた「混沌分判図説」である。彼はここで一種の宇宙起原論を論じた。彼によると「混沌未分ノ時唯大気ノミ」である。このなかで「微妙不測ノ神霊アリテ一箇ノ絶点ニ来舎スルコトアレバ」──バランスがくずれて動きがはじまる。そして気はしだいに凝縮し集合して濃厚となり、引力も増して塊となるのであった。この「気質聚散ノ大理」によって太陽系が生成されたのだった。これは西洋でいえばカント・ラプラスの名で知られる、星雲起原説とほぼ同じアイデアである。もちろん両者は同時代だがその間に交渉はない。忠雄は独立にこうした考えに到達したのである。それからみても忠雄の独創性の高さが推測されるだろう。しかも当時の日本の天文学者は暦法の研究ばかりに熱心で、宇宙論めいたものや天文そのものに注意する者はまるでなかった。そうした面でも忠雄は異色の人物だったのである。しかし文化三年（一八〇六）七月、忠雄は四七歳の若さで歿してしまった。

馬場貞由

志筑の弟子でことに語学の達人だったのは馬場佐十郎貞由であった。天明七年（一七八七）、長崎に生まれた。彼の本姓は三栖谷氏であったが、親族の馬場為八郎貞歴に子がないので養子となった。

馬場家も代々オランダ通詞の家がらであった。そこで彼もまたオランダ語を学んだが、一八歳の時からは志筑忠雄について文法を学んでその素養を深めた。文化五年（一八〇八）、二二歳で江戸へ召し出され天文方に入り、八年からは蛮書和解御用となった。彼もまたショメールの百科全書『厚生新編』の翻訳事業の一人となったのである。また六年の二月には長崎通詞の六人が選ばれて、オランダ商館のヘールについて英語を学ぶことになったが、貞由も養父とともにその選に入っていた。だから彼はオランダ語、英語の二語を知っていたわけである。

彼の語学の才の優秀さはよく知られていた。江戸に来て早々、彼はロシア語を学ぶことを命ぜられた。それは桂川甫周の章で述べるように、伊勢からロシアに漂流した光太夫が帰国したが、光太夫はかなりにロシア語を知っていた。そこで幕府は佐十郎貞由に光太夫を師としてロシア語を学ばせたのである。それには二年の月日がかかった。

文化八年（一八一一）ロシア船ディアナ号が国後島に来た時、船長ゴロウニンら七人のロシア人が捕えられて松前へ送られ、文化一〇年まで幽閉された。この機会を利用して九年から松前奉行所の村上貞助がゴロウニンにロシア語を学び、ついで馬場と足立左内の二人が幕府の命で一〇年の春に松前に行き、同じくゴロウニンからロシア語を学びはじめた。ゴロウニンは当時について記している。

「彼（馬場）は二七歳ぐらいの人物だった。すぐれた記憶と深い文法の知識をもっていたので、ロシア語の学修では、快速の進歩をした」（『日本幽囚記』）

馬場は忠雄の教えですでに文法の重要さを知っていたので、その進歩が早かったのであろう。ゴロウニンはまた彼らのために四か月以上もかかってロシア語の文法書をつくり、これを馬場と村上が翻訳したのである。彼らはオランダ、フランス語辞書を用いてゴロウニンに説明を求めた。フランス語が両者の媒介に用いられた。ゴロウニンが函館に移されたのちも、三人はしょっちゅう訪問してロシア語を学びつづけた。やがてゴロウニンが帰国したので、馬場、足立の二人も江戸に戻ったが、ここに馬場はオランダ、イギリス、ロシアの三国語を知る者として重視されるようになった。

彼は文化八年（一八一一）からは士分の待遇を受け、函館から戻ってのちは小普請組に入れられたが、翻訳に従事することは少しも変わらなかった。彼は温和で無口な人だったが、自分の学んでいることや、西洋の科学の話になると急にいきいきと話し出すのであった。

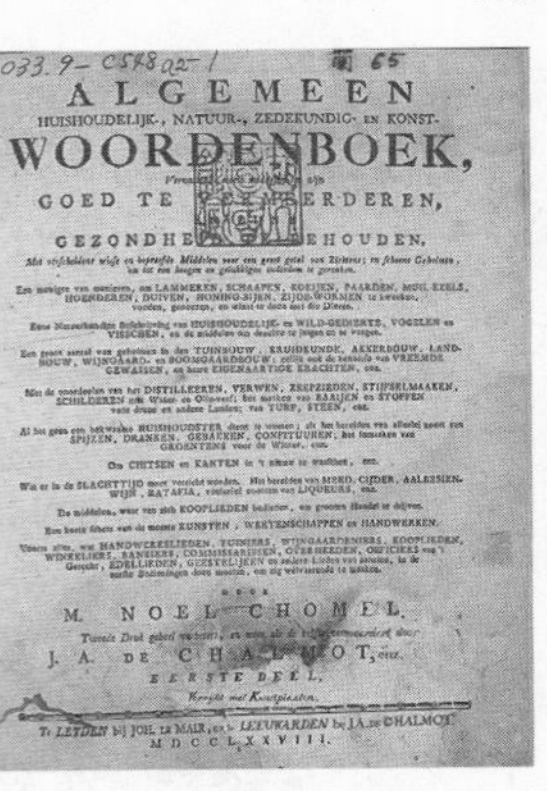
ALGEMEEN
HUISHOUDELIJK-, NATUUR-, ZEDEKUNDIG- EN KONST-
WOORDENBOEK,
GOED TE ... ERDEREN,
GEZONDHE... EHOUDEN,
M. NOEL CHOMEL.
J. A. DE CHALMOT, enz.
EERSTE DEEL,
Te LEYDEN bij JOH. LE MAIR, en te LEEUWARDEN bij J.A. DE CHALMOT.
MDCCLXXVIII.

ショメールの百科全書

文化七年には『天気計儀訳説（占気筒訳説）』を完成した。晴雨計の解説書である。ショメールとボイスの百科辞書の記事からとりだしたもの。また幕命によって『硝子製法集説』も七年に作った。また八年には彗星が出て人心が動揺したので『彗星訳説』を書いた。イギリスのマルチンの自然科学一般を記した全書から抜いたものであった。そのほか西洋の時計や時制についての解説なども書いた。

文化九年には『度量考』が出ている。これは志筑忠雄の遺稿を整理してさらに新しい彼の知識を加えたものであった。

嘉永七年（一八五四）には『泰西七金訳説』が刊行された。しかし馬場はこの時とうに歿していた。彼はわずか三五歳の若さで文政五年（一八二二）に亡くなったのである。その歿後三二年で二〇〇部の限定版が出たのだった。七金とは金、銀、銅、鉄、錫、鉛、水銀のことで、西洋の有用金属概説といったものである。各種金属の産地から、性質、精錬法、用途に至るすべてが記されるが、ことに薬として用いる場合がくわしい。スイーテンの梅毒用水銀剤やプレンキの水銀剤などもあり、王水で金をとかし紅色顔料とするいわゆるカシウス紅の製法もある。
佐十郎貞由はその師志筑忠雄の如く独創性に富み、深い研究をしたというものではない。彼は自分でも舌人（通訳）と称し、学者とは考えていなかった。しかしそのすぐれた語学力を駆使して多くの翻訳書をつくったことは、西洋科学の輸入と定着に大きな意味をもっていた。そしてこれこそ長崎の通詞系の人びとの多くがもっていた共通の性格でもあった。新知識のスピーディな紹介、それが長崎の通詞の活躍の場であった。馬場貞由の場合はそれが科学と語学の世界にあったのである。

けれども本木栄之進以来、これら長崎通詞系の科学啓蒙家たちは、天動説から地動説へ、またニュートンの力学体系と、革命的な学説をたえず紹介しつづけてきた。それらは自然観、世界観の変革であり革命である。けれどもこうした説の紹介と流布も、ほとんど新しい思想を呼び起こすものとはならなかった。地動説はのちには多くの知識人たちの常識となるようになったが、それも新知識をほこる材料であるにすぎなかった。オランダを経由して入ってくる西洋科学は、医学のように有用の技術であるか、あるいは新知識であるにすぎなかった。知識は力とならず、新しい時代への見通しも生むものではなかった。最新の知識体系を所有しているものが、決して時代のオピニヨン・リーダーとならなかったこと、それは江戸期の科学者の共通の性格といってよいものである。

桂川家の人びと
――名門の学者たち――

前野良沢、杉田玄白たちがターヘルアナトミアの翻訳をはじめたとき、まだ一〇代の青年がその会合に加わっていた。桂川甫周である。彼の名は国瑞、号は月地であった。桂川家は築地にあったので、音の「つきじ」をもじってつくった号である。

桂川家はもとは森島氏といい、大和の出身であった。桂川氏の祖となったのは甫筑、名は邦教で、肥前平戸の松浦侯の医官、嵐山甫安について医学を学んだ。嵐山甫安はオランダ流の外科医として有名であった。寛永鎖国令ののちは、長崎は唯一の西洋文明の窓口となった。ところが出島のオランダ商館には必ずオランダの医師が在勤していた。シーボルトもそのひとりである。出島のオランダ人に最も日常親しかったのはいうまでもなく通詞である。彼らのある者は、商館のオランダ医師に近づき、オランダ医学、ことに外科を学んだ。幕府は洋書輸入についてはきびしい制限を設けたが、実際医術を学ぶことはべつに禁止しなかった。そこで通訳出身の外科医があいついで生まれたのである。楢林流、吉田流、西流、栗崎流、村山流など、どれもオランダ流外科を称してその勢力をひろげた。

嵐山甫安もその一人である。彼ははじめオランダ医、ハルマンスにつき、ついで寛文二年（一六六二）に渡来した医師ダニエル・ブッシュに教えを受け、五年には医術習得の証明書を受けた。彼はその内容を『蕃国治方類聚的伝』なる著書にくわしく記した。この書は二巻からできており、人体各部の負傷に対する薬の処方をあげているが、その大部分は膏薬や油薬ばかりである。また刺絡もくわしく説かれる。これは患部に針をさして悪血をとるもので、西洋の外科では古くから重視された。甫安もこの書のなかで「血を取ること、オランダ流の肝要也、大病は二七日、小病は一七日程過て後に取也、是にて瘀血滞なく重て無病也」という。そのほか各種の病状や療法を記すにも従来の説に反対したり、異なった方法を記して新しさをみせている。

森島氏の邦教は甫安についてオランダ外科を学んだが、その才能はなかなかすぐれていた。そこで甫安は彼の姓を桂川と改めさせた。桂川は京都の名所嵐山から発しその流れはしだいにひろがってゆく。甫安は彼によってオランダ外科のひろがることを期待したのである。また名も自分の名を一字与えて甫筑とした。甫筑はそののちもオランダの医師ダンネル・アルマンスについてさらに外科を修めてしだいに名医といわれるようになった。元禄九年（一六九六）、ついに幕府の医官に任用され、享保一九年（一七三四）には法眼となった。医師として最高の位である。外科医としての桂川流はここにはじまった。

ツンベルグ

甫周国瑞は四代目である。彼はずいぶんの秀才であり、名家に生まれただけあってその人がらも立派だったという。それでターヘルアナトミアの翻訳の業の際にも「最初より会合ありし桂川甫周君は、天性穎敏、逸群の才にてありし故、彼文辞・章句を領解し給ふ事も万端人より早く、未だ弱齢とは申し、社中にても各々末たのもしくかんばしとて賞嘆したりき、尤も其家代々オランダ流外科の官医なる上、其父甫三君は、青木先生（昆陽）よりアベセ二五字をはじめ、僅ながらも蘭語なども伝はり給ひしを聞覚え、少しは其下地もありし故にや、退窟のようすもなく、会毎には怠りなく出席し給へり」（『蘭学事始』）と、玄白は記している。

甫周の秀才ぶりと青年らしい熱心さは異国の人の眼にもとまっていた。安永四年（一七七五）オランダ商館の医師としてツンベルグがやってきた。スエーデンの生まれでウプサラ大学で、有名なリンネに学んだ植物学者である。五年の一月、オランダ商館長が江戸に参向した。彼はその一行に加わって、できる限り日本に関する見聞をひろめようとした。旅行は無事にすみ、彼は翌年日本を去った。帰国後の彼はリンネの職をついでウプサラ大学の教授となり、有名な『日本植物誌』を著わした。

ツンベルグの江戸旅行や日本滞在の間、多くの日本人が知識欲にもえた眼を輝かせながら、たえず彼をとりまいていた。それは時にはツンベルグにはうるさすぎた。そのなかでもことに熱心なのは桂川甫周と中川淳庵の二人だった。二人は日本の薬品、鉱物、植物をツンベルグに贈り、日本名を教え、交換としてラテン名やオランダ名を教わった。ツンベルグはこの二人について次のように書く。

「江戸に着くやすぐこの町の学者たちの訪問をうけた。……他のものはその後もしきりに打ちとけた訪問をしに来た。そして夜遅くまでいた。私はこの人たちに物理学、植物学ことに内科学、外科学を教えた。一番若い医者は桂川甫周という人で将軍の侍医なので衣服に将軍の紋をつけていた。この若者は愛想がよく陽気な性質の人でよく私のもとにその友達の中川淳庵をつれて来た。この人は彼より少し年長でこの国の公子付の医者である。二人とも、ことに後者はオランダ語をかなり話した。二人ともオランダ語あるいはシナ語の書物により博物学、鉱物学、動物学及び植物学を多少研究していた。二人は学問を熱愛する上に世の人のためになろうとする熱望があり、またちょっと外で見られない従順な性質をもっている。私は二人が外の人には欠けている重要な知識をもっていることを知ったので、いよいよ親切にこの二人のよい心掛を助けてやった……」(『日本紀行』)

この時甫周は二三歳、淳庵は三三歳だった。なお淳庵が公子付の医者というのは、ツンベルグの誤りである。二人とツンベルグの交渉は、ツンベルグの帰国後もつづいた。ツンベルグは帰国後もオランダ商館長に託して、書物や標本の瓶詰などを送った。それに対して彼らは日本の植物標本や種子を贈った。甫周たちはこれによって薬品にひたして、生物標本を保存する方法を知った。甫周もまたのちにツンベルグについて「最も博物学に通じまた各分野の広い知識をもっていた。私が知った西洋人は三、四〇人もあるが、まだ彼のようにひろい識見と研究熱心な人に会ったことはない」と、書いてツンベルグの学識を高く評価している。

ツンベルグを通じて二人の名はロシアにまで知られていた。天明三年(一七八三)七月、伊勢白子の神昌丸は、船頭大黒屋光太夫以下一七人をのせたまま、アリューシャン諸島に漂着した。彼らはのちに首都セント・ペテルブルグに送られロシアに在ること九年、寛政四年(一七九二)九月、根室に送還されてきた。彼らはロシア語も覚え、しかも長期滞在したこととてロシアに関する情報はくわしかった。九月、将軍家斉は吹上の園で漂流民に会い、ロシアの事情についていろいろと質問させた。これによってはじめてロシアに関するくわしい事情が日本に知られたのであった。甫周はこの席に列して『漂民御覧之記』『北槎聞略』の記録をのこした。

その席上で光太夫らは、ロシアで知られている日本の学者として、桂川甫周と中川淳庵の名をあげた。光太夫らはそのほかロシアでの日本研究について述べたが「日本の地勢をもよく知り、風俗故事をも知ること多し、大名諸侯の紋所、通用の大小銭ことごとく絵図あり、日本の金小判小粒をも彼邦にて見たり、又草双紙も浄瑠璃本などもそのままにてあるを見たり」の言葉には、列席の人びとは大いに驚かされた。なお光太夫とともに漂流した新蔵は、イルクーツクに留まって通訳をしたり日本の漂流民の世話などもした。

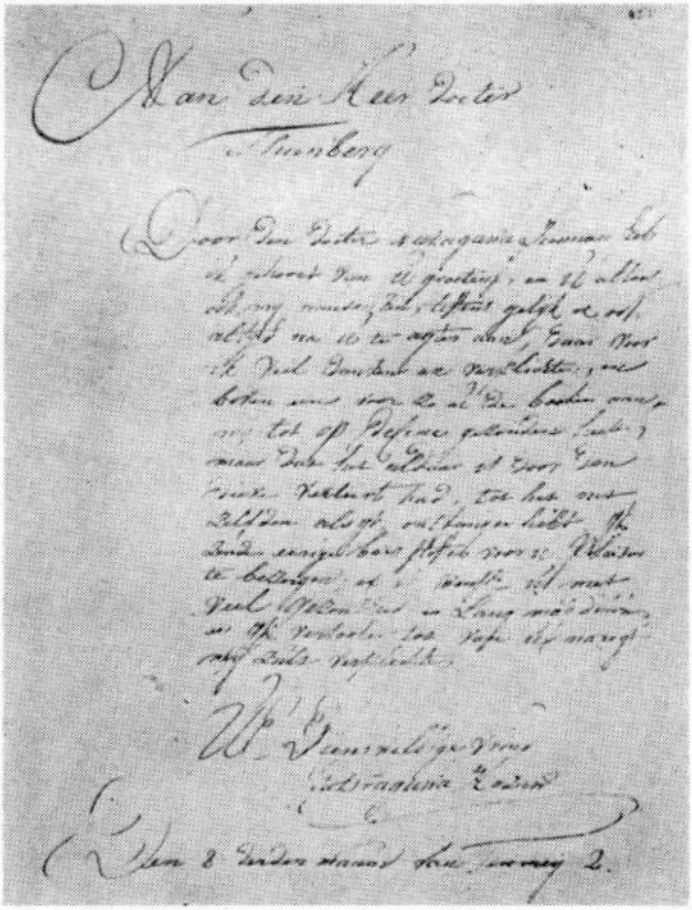
Aan den Heer Doctor
Thunberg

桂川甫周のオランダ文筆跡（ツンベルグあて）

寛政六年（一七九四）甫周は医学館の教授となって外科を教えることになった。オランダ流の外科を医学館で教えるようになったのはこれが最初である。それまでの医学館は漢方医学ばかりであった。彼はまたオランダの内科学についても注意をおこたらず、宇田川玄随にオランダ人、ゴルテルの内科書を与えてその翻訳をすすめた。玄随は甫周の言に従って研究をつづけること一〇年で『西説内科撰要』を著わし、オランダ系の内科学をはじめて日本に紹介したのだった。またこれを読んだ吉田長淑が、甫周に入門して内科を学び、はじめてオランダ内科の看板をあげたことは別に記しておいた。そのほか甫周は地理学にも興味をもっていたという。

文化六年（一八〇九）五月、甫周は病歿した。五九歳である。子供がないので同じく幕府の医官の名門、多紀家から養子を迎えた。甫謙、名は国宝である。その子は甫賢、名は国寧で、祖父の甫周のツンベルグと同じように、シーボルトとも交わってシーボルトもその才能をみとめたのであった。

甫賢はまた幼いときから優秀な学徒として有名だった。彼はもちろん蘭学を学び、文政一〇年（一八二七）父の甫謙が歿したのちは幕府の侍医となり、天保二年（一八三一）には法眼となり医学館で外科の講義もした。彼は植物、動物学に深い興味をもち、その研究もきわめて深かった。彼は「医学は何も漢とか洋とかに限る必要はすこしもない。漢でも洋でもその適当なものをとり、良方を択んで実効のあるようにすればよい。ところが世の漢方医はいつも古来の伝統にとらわれすぎ、蘭方医はまた新しい術ばかりをしめそうとし、いつも相争ってばかりいる。これではどちらも精妙のところまでゆけるものではない。これは私が最も残念に思うところだ」とあるとき述べたという。

保守的になりがちの名門に生まれた医師のなかでは、きわめて正当な進んだ考えの持ち主だったのである。

祖父甫周と同じように甫賢もまた文政九年（一八二六）、東上したシーボルトに会った。シーボルトの『江戸紀行』には江戸到着直後の四月一一日、早くも桂川甫賢の名刺をみ、その戯名がウイルヘルム・ボタニクスであることを知った、とある。つづいて彼の日記では、

「四月十三日　日本の友人、医師多数来訪、私は多くの植物乾燥標本をもらったが、特に高い教養をもつ桂川またの名ボタニクス、宇田川榕庵の人びとからもらったものが、特にすぐれていた……

四月十七日夜のひとときを幕府の医師桂川、通称ボタニクスと、ある大名の侍医、大槻玄沢とともに過す、両名はオランダ人の友であり、ヨーロッパの学問の偉大な知己である。

四月十九日、医師ボタニクス来訪……」

とシーボルトとの交友ぶりや、その評価が記されている。

WILHELMUS BOTANICUS
Keizerlyk - Doctoor
van
JAPAN.

桂川甫賢の名刺　ウイルヘルム・ボタニクス

甫賢もまた西洋の学問に対し深い理解をもっていることが、

シーボルトの注意をひいたのだった。

甫賢はこの時シーボルトに北海道や樺太の植物の写生をみせたが、どれも美しく彩色してありシーボルトはこれによって日本の植物分布についての新しい知識を得ることができた。またエゾマツの開花したものも、シーボルトは甫賢から贈られたと伝えられる。

甫賢はまた古代の石鏃にも興味をもち、各地から石鏃を集めこれを色や形や大きさによって分類し三六種に分けた。そしてそのコレクションのなかから一〇二種をシーボルトに贈った。シーボルトは彼の日本研究を総括した大著『日本』のなかでこのことを記し、また武器の論文のなかでも甫賢の説を引用している。

甫賢のあとを継いだのは甫周、国興であった。彼は二一歳で家を継ぎ将軍の侍医となった。彼もまた安政六年（一八五九）、ふたたび来朝したシーボルトに会い、やはり学問上の意見の交換をすすめた。

甫周の残した仕事で最も有名なのは『和蘭字彙』一二巻を出版したことだ。日本での最初のオランダ—日本語辞書は有名な『波留麻和解』（江戸ハルマ）である。これは稲村三伯が、蘭仏辞書であったフランソア・ハルマの辞書を、蘭日に改めたものだった。稲村は非常な苦心ののちようやく寛政八年（一七九六）に、一三巻を刊行することができた。しかしその数わずか三〇部、オランダ語を学ぼうとする人びとに珍重されたが、多くは写本としてひろめられた。これのダイジェストを試みたのが藤林普山の『訳鍵』である。これに対してドーフ・ハルマ、また道訳ハルマといわれるものがあった。これは文化八年（一八一一）、同じハルマの辞書を長崎のオランダ商館長、ヘンデレキ・ドーフに訳させたものだった。ドーフは寛政一一年（一七九九）に来航し、当時は書記だったがやがて享和三年（一八〇三）には商館長となった。ところが、当時はヨーロッパはナポレオンの時代でオランダも一時は亡び、オランダ国旗が地球上にかかげられているのは長崎の出島のみとさえいわれたのであった。ドーフはこのため日本滞在一五年、そのため日本語もうまくなっていた。この才能を利用し、同時に本国と連絡のたえたドーフを救済するために行なわれたのが、この辞書翻訳の事業だった。西、中山、石橋など長崎の通詞たちが一〇人協力してこれに当たり、完成浄書が終わったのは天保五年（一八三四）、実に二四年ののちのことであった。これは三部が作られ一部は長崎奉行所、二部はそれぞれ幕府と江戸の天文台に分置された。これがドーフ・ハルマである。

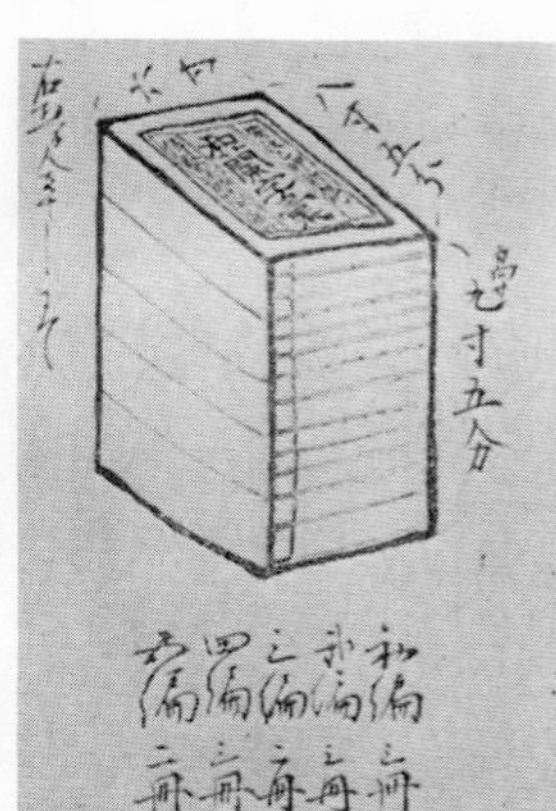
『和蘭字彙』のプラン

　桂川家は侍医であったので、特に許されてこのドーフ・ハルマを一部写本として持つことができた。しかし甫周のころになると、西洋学としてオランダ語を必要とする者はしだいにふえた。しかし蘭日辞書とし

『和蘭字彙』

て流布するのは簡単な『訳鍵』のみである。そこで甫周は洋学所も設立されている時世にかかわらず辞書の少ない欠点を論じ、安政二年、ようやく幕府の許可を得て、ドーフ・ハルマを出版することに成功したのである。出来上がったのは安政五年(一八五八)のことであった。八月、一五部の印刷が完成して『和蘭字彙』(一二巻)と題された。甫周は明治一四年九月に歿している。

宇田川家の人びと
——家学を守った人たち——

　桂川甫周からゆずられたゴルテルの内科書を翻訳した宇田川玄随（うだがわげんずい）は、岡山の近くの津山藩の侍医の家であった。彼は江戸の藩邸で生まれ、やはり医学を修めたが、二五歳のころからオランダ医学を志した。彼は最初はまったくのオランダ医学ぎらいだった。ところが友人の荘内藩の医官である曾昌啓が、桂川甫周に会う機会をつくってくれた。

　偶然その場に大槻玄沢もいた。桂川甫周や玄沢の説くオランダ医学は、ふかく玄随の心を動かした。そこで玄随は前野良沢の弟子となって、あらためてオランダ語を学びはじめた。杉田玄白や中川淳庵とも親しくなった。玄随がオランダ医学に最も心をひかれたのはそれがいつも実際の病状や実物によって議論をたてることだった。西洋科学の実験性、それは玄随のこれまで学んできた観念を基礎とし、人間を基とする漢方とは異質のものだった。彼は考えた。医は仁術といわれる。人間を病苦から救うことができるものならば、漢方であろうとオランダであろうと問題ではない。そこで彼もオランダ医学一本となった。

彼はいつも大槻玄沢を敬愛し、兄のように玄沢の教えに従っていた。玄随がゴルテルの内科書を訳し『西説内科撰要』として発表したところ玄沢はこれを批評して言った。

これは重要な仕事である。これまでオランダ医学は外科しか紹介されていなかった。この書ではじめて内科学が紹介されることはすばらしい。しかし内科を紹介するにはやはり精細に綿密にしなければならぬ。ところがこの書はしごく簡略だ。すると一般では西洋の内科はこの程度かと思いこみ、さらに研究しようとする意欲をなくしはしないかが心配である。玄随はこれに答えて言った。わたしがこの書を翻訳したのは、ただ内科を求める人のために道をつけようと考えたのだ。だからまだ道は開かれたばかりである。この道をひろげさらに立派なものにするのは、これからの人に期待したい。玄随は三八歳であった。書は寛政五年(一七九三)に刊行された。

玄随はこの言葉に決してたがわなかった。彼はのちにふたたびこの書物に新しく訂正や増補を行なおうとし、原稿を作りはじめた。しかしわずか四三歳で彼は歿し原稿は完成しなかった。けれども養子の玄真(げんしん)がそのあとをついで『増補重訂内科撰要』として刊行したのである。

玄随は江戸では茅場町に住んでいたが、その家に大きな槐(エンジュ)の木があったので槐園(かいえん)先生といわれた。彼は医学にとどまらず、植物学などにも注目し、ドドネウスの植物書を訳した『遠西草木略』などの著書もある。

槐園には子供がなかった。そこで門人であった安岡玄真、榛斎が跡をついでやはり津山侯の侍医となったのである。玄真は伊勢の人で明和六年（一七六九）一二月の生まれ、やはり最初は漢方医学を修め、しかも漢学にもすぐれていたので、オランダ医学にはまったく無関心であった。彼はまた『傷寒論』に関する論文を書いて、当時の医学の大家といわれる人びとの批評を求めていた。『傷寒論』は漢の張仲景の著、漢方医学の古典とされるものだ。

玄真はこの論文を槐園のところにもちこんだ。ところが槐園は表紙をみただけで「はあ、傷寒論か」といってそのまま玄真に返した。玄真は不満だった。彼ははげしくその理由をただした。すると槐園は、自分ももとは漢方医学を熱心に学んだ。しかし今はすっかりオランダ医学に転向してしまった。と答えながら漢方医学とオランダ医学の差について説明してくれた。

それは玄真にとって思いもかけぬ考え方であり内容であった。彼はその内容はほとんど理解できなかった。とにかく、漢方以上のなにかすぐれたもの、すぐれた医学のあることだけはおぼろ気ながらも感じ得たのである。彼はついに決心した。苦心した傷寒論の論文も放棄して、あらためて槐園のもとに入門したのであった。

彼はオランダ語を覚えることも早く、翻訳にもたくみであった。杉田玄白はこの才を見込んで一旦養子としたが、事情あって杉田家を出されてしまった。しかし玄白の子伯元や稲村三伯たちが世話をして、オランダ書の翻訳によってどうやら生活をたてた。しかしはじめに

た。書いたように宇田川家の嗣子となったのちは、彼も安定した生活に入ることができたのだっ

玄真は号を榛斎といった。さて榛斎宇田川玄真の第一の仕事として有名なのは『和蘭内景医範提綱』である。ブランカールト、パルフイン、ウインスローなどオランダの解剖学や生理学の書物を基礎としたものであった。彼はまずオランダの医書を訳しこれらを総合して三〇巻の本をつくった。これに『遠西医範』と題をつけた。このなかから重要な部分をとりあげて『医範提綱』ができた。彼はこれをテキストとして門人に講義した。門人たちはこれをノートし整理した。これらが基礎となって毎条、漢文で簡明に記述し、次に片かなまじりの国文でこれを詳しく説明するというスタイルの『医範提綱』ができたのであった。その文章、説明のたくみであることや、よくオランダ医書の内容を簡明に伝えていることから名著といわれ、文化二年（一八〇五）刊行されたのちに、二度も出版されたほどであった。そこで用いられた術語には今日も用いられているものがかなりある。神経もそのひとつだ。つづいて文化五年には『医範提綱内象銅版図』が刊行された。銅版は亜欧堂田善の作である。全部で五二図、一部は門人新井令恭の作であった。この書は日本での起版図譜の最初のものとしても、人の眼を驚かせた。田善の作はすばらしい出来で、当時の人に西洋のものに劣らずとさえいわれた。『解体新書』の図は銅版画に似せた木版画だった。三〇余年を経て現われた解剖図譜は、もう西洋のものと同様の銅版画となっていたのである。

玄真はまたオーストリアの眼科医、プレンキの眼科書のオランダ訳から『泰西眼科全書』としての日本訳をつくった。プレンキのそれは判りやすい要を得たものであった。しかし玄真の訳は出版されず、杉田立卿（りっけい）がこれを訂正しまた増補して『眼科新書』とした。文化一二年（一八一五）の出版。これは日本最初の眼科学のテキストであった。

玄真はまたオランダをはじめとする西洋医学で用いられる薬物を明らかにしようとした。西洋の薬物をはじめてひろく紹介したのは、桂川甫周の著『和蘭薬選』である。魚部、人部、木部、草部に分けてあるが、人部にはミイラが出てくる。「抜爾撒摩（ばるさむ）法を用いて葬りたる屍の成る所なり」とあり、阨日多（えじぷと）国のものとする。ミイラについてはかなり正しい知識をもっていたわけだ。ただしこの書は刊行されなかった。

これに次ぐのが玄真の『遠西医方名物考』であり、また『和蘭薬鏡』であった。『遠西医方名物考』は、ライデンやアムステルダム、バタビヤで用いられていた薬局方をはじめとして、当時日本に渡来していた多種多様の医学書にのせられた処方をあつめて、それらの薬品や用法について記し、日本や中国に産するかどうか不明のものには、産地や形状や治療上の用途について詳しく述べたものであった。その本篇は三六巻もあり、文政五年（一八二二）に出版された。また「補遺」九巻は玄真の歿年である天保五年（一八三四）に出版されたのであったが、この大著によってオランダ医学を志す人は、西洋の医師がどんな薬剤を用いているかを、ようやくはっきりと知ることができたのである。

『和蘭薬鏡』はこれまた多種多様なオランダの医書、薬物書にみられるもののうち植物類について、日本や中国の本草書を参照しつつ説明したもので、全三巻は文政二年（一八一九）に刊行されている。またのちには養子の榕庵（ようあん）がこれを訂正し新しいものを付加して『新訂増補和蘭薬鏡』一八巻として文政一一年（一八二八）に刊行した。この二種の書物によって、日本の医師たちは西洋での製薬法や、水やアルコールで抽出する技術などの新しい技法を教えられたのであった。この両種の書物は薬局方を兼ねた西洋薬物の百科全書として大いに重宝された。なお玄真は文化一〇年に幕府の天文方の、蛮書和解御用に任ぜられている。それは彼がオランダ語に優秀な力をしめしたことによるものであったが、多くのオランダ医書や薬物書を利用することができたのは、玄真にとっても大きなプラスだった。

彼はまた晩年には、新しい西洋の病理学の体系を日本に紹介しようと考えた。そこで坪井信道の門下で彼の家にもしばしばやってきていた青木周弼（しゅうすけ）や緒方洪庵のふたりの力をみとめ、青木にはフーフェラントの病理学書、緒方にはコンスブルックとコンラジの病理学書をまず翻訳させようとした。そしてこの三者を基本として新しく病理学のテキストを編集しようと計画したのだった。しかしこの計画がいとぐちについたばかりで、玄真は天保五年（一八三四）一二月病歿してしまった。しかし玄真は死期の近いのを知ると、この事業を洪庵にゆだね、病理学の体系をつくることを遺言したのである。洪庵は忠実に師の言葉を守った。こうして成立したのが洪庵の名著として有名な『病学通論』である。

玄真（榛斎）も養子であったが、彼にも子がなかった。そこで大垣の江沢養樹の子、榕（よう）がその家を継ぐことになり、また津山侯の侍医ともなった。榕は幼い時から植物を好み、自分で植物を採集しては、それらを中国の本草書と対照することを好んだ。

彼はオランダ語を馬場佐十郎（轂里）に学んだ。彼もまた榛斎と同じように語学にすぐれていた。しかし江戸でのオランダ語はすべてオランダ書を読むことを目的としていたので、長崎の蘭学者のように会話はうまくなかった。榕庵のオランダ語もたくみとはいえ同じことである。そこで彼はオランダ人が江戸に出てくるたびに、旅宿に赴いてさまざまの質問をしたが、そのときには質問や会話をいちいち筆で書いた。つまり筆談である。しかし榕庵はこの筆談ですこしも不自由なく、オランダ人と会話を自由にすすめることができたといわれる。シーボルトが桂川甫賢とともに訪問した榕庵をほめていたことは、別に記しておいた。

文政五年（一八二二）、榕庵が二五歳の時に「菩多尼訶（ぼたにか）経」が出版された。菩多尼訶とは西洋の植物学、ボタニカの音を写したものだ。仏教のお経に似た体裁の折本で、全部で七五行というみじかいもの。内容は漢文のお経の文句のスタイルという変わった本だ。彼はこのお経が日本の人びとにとなえられて、植物学の広まることを願ったのだという。彼はみずから菩薩楼と号したくらい仏教の信者であった。だからこのお経風の本もべつにたわむれのものではない。このなかで彼はすべての生物は自由に歩くことのできる動物と、歩くことので

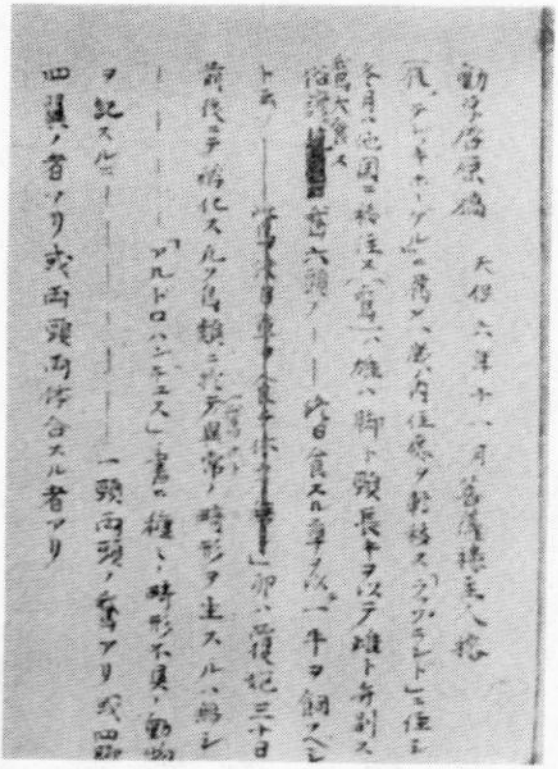

『動学啓原』原稿

きぬ植物とに分けられるが、両者はもともとひとつであった、と記した。動植物の区別を自由に動けるか、動けないかに置いたわけだ。この書の原本はよく判らない。しかしショメールの百科全書の一部を種にしたものだといわれる。

文政九年（一八二六）から彼もまた蛮書和解御用の一人として、幕府の天文方に勤務することになった。彼の仕事はショメールの百科全書翻訳の一員として、この大事業を進めることであった。彼はこのときの翻訳の原稿をもとにして『動学啓原』を書いたが、これは出版されないままで終わってしまった。その内容は昆虫、魚、哺乳類、鳥類などに及んだ著述だった。またリンネの昆虫分類表も訳したが、そこには甲虫、半甲虫（今の半翅目）、二翼虫（双翅目）など現代にも通ずる訳語が案出されている。また魚やその他の動物についても分類の概念をはっきりと紹介している。もしこの書が完成し出版されたならば、これが日本の体系的な動物学の最初のものとなったろうと思われるものだ。

天保五年（一八三四）榕庵は三七歳となっていた。この年彼は有名な『植学啓原』三巻を出版した。それは植物の分類から、形態、生命現象、生化学などに至る植物学全体の総論で

あった。「細胞」の訳語もこれにはじまった。彼はそのなかで、

「天高ク地厚シ万物両間ニ森羅ス　之ヲ別テ三有トナス　動物（ヂーレン）トイヒ、植物（プランテン）トイヒ、山物（ミネラーレン）トイフ、動物ハ生産死亡アリ、知覚アリ、生々形ヲ爽ヘズ、動キ遷リ自適ス　其学ヲソロギアトイフ、此ニ動学ト訳ス、植物ハ知覚ナク、動キ遷リ自適スルコト能ハズ、其学ヲ菩太尼加トイフ、此ニ植学ト訳ス動植、二有ハ機性体ナリ」（原文、漢文）

と述べている。動物、植物の差異を知覚の有無、自分での運動の可否によって分けたのであった。また全体を三有に分けたのは、現代でいえば動物、植物、鉱物ということになる。機性体とは榕庵によれば、栄養を異類からとり、それで自分の体液をつくり、自分の内部で力をつくりだすもののことであった。有機体にちかい概念のものである。学問もまた三分された。彼はいう。

「万物ノ学別ケテ三門ト為ス、一ヲヒストリートイフ、形状ヲ記録シ種属ヲ弁別ス、蓋シ弁物ノ学ナリ、二ヲヒシカトイフ、万物ノ以テ死生シ以テ栄枯シ以テ蕃息スル所ノ理ヲ窮ム、蓋シ窮理ノ学ナリ、三ヲセーミカトイフ、万物資ツテ以テ始生シ、聚テ以テ体

ヲ成スノ元素ヲ知ル…」

つまり一は分類と自然誌の学である。二は生理の学、三は化学ということになる。またこの三つは「弁物ハ窮理ノ端ヲ啓キ、窮理ハセーミーノ基ヲ為ス」との関係があると述べた。序文は箕作阮甫（みつくりげんぽ）が書いた。「亜細亜東辺ノ諸国、タダ本草有リテ植学無シ、斯学有リテ其ノ書有ルハ実ニ我ガ東方榕庵氏ヲ以テ濫觴トナス」とある。さらには「泰西ノ斯学有ルコト尚シ、林那（リンネ）氏ニ至リ大イニ備ハル、榕庵氏夙ニ其ノ書ヲ読ミ、旁ラ群書ニ出入シ、盪摩鬱討、鬱シテ編ヲ成ス、我ガ東方ヲシテ始メテ斯学有ルヲ知ラシム」と記されているのは、たくみに『植学啓原』の歴史的な意味を表現したものといっていい。

榕庵の研究はこうした生物学関係にとどまらなかった。彼は養父の玄真の著書『遠西医方名物考』や『和蘭薬鏡』の校正や補訂をしているうちに、化学に関するオランダの書物にも親しむことになった。そしてついに大著『舎密開宗』（せいみかいそう）を出版した。初篇は天保八年（一八三七）に刊行され、終巻は弘化四年（一八四七）に出版された。実に一〇年を要し、内外篇合わせて二一巻という大作である。彼はその序文でセーミ（化学）とヒシカ（物理）はその境は接しているが、別々の領域のものだと説いた。そしてヒシカは、「有形ノ物ハヒシカ自力ヲ尽シテ外貌ヲ観察シ、造化ノ機則ヲ推ス」ものであり、セーミはこれをこまかに分析して成分の性質を調べ、その量的な関係を求め親和力をトレースし、「其離合進退ノ旨趣ヲ講明ス」るものとした。しかもこのセーミは、「合法ニ頼レバ従来作工ノ造リ得ザル物ヲ造化シ出シ、離法ヲ用フレハ即チ未ダ曾テ天然ニ特生スルコトナキ物ヲ生下シ殆ド造化ノ妙巧ヲ奪ヒ……我ガ医術製薬ノ法モ亦大部此学壊ノ版図ニ帰セザルハナシ」という実用的な性格をもつものであると書いている。近代化学の本質やその特徴は、このように榕菴によってはっきり認識され紹介されたのだった。

『舎密開宗』の原本となったのは、イギリスのヘンリーの化学書がドイツ訳され、それがさらにイペイによってオランダ訳されたものだった。しかし榕菴はただこれを訳しただけではなく、実に二三種もの他の書物と参照してこの日本最初の近代化学のテキストを完成したのだった。

弘化三年（一八四六）の六月、榕菴は四九歳の若さで歿した。まことに彼こそは数代つづいた洋学者宇田川家の最後を飾る巨大な仕事をのこした人だったのである。彼も子供がなく坪井信良の子、興斎がその跡をついだ。

悲劇の科学者たち
──シーボルトとその門下──

文政六年（一八二三）の七月三日、一隻のオランダ船が長崎に近づきつつあった。その船上には二七歳のひとりのドイツ人がはじめて見る日本の風景をじっとみつめていた。彼は日記に書く。

「われわれは船からすばらしい眺望を楽しんだ。生き生きとした緑の丘や、耕やされた山の背が前景を飾り、その背後には鋭い輪郭をなして青い山並みがそびえ立っている。……近くにある島の階段状に耕やされた前山、白い家々、杉の木の間から堂々とそびえ立つ寺院の屋根、岸辺に沿いまた入江のまわりには多数の家や小屋が立ち並んでいて、本当にいいようもない美しい眺めである」。

この青年こそフィリップ・フランツ・フォン・シーボルトであった。彼は一七九六年、ドイツのバイエルンで医師の名門の家に生まれた。彼は早くからヨーロッパにはわずかな断片的な知識しかもたらされない、神秘の東洋へのあこがれをもっていた。そこで伝手を求めて一八二二年、オランダ陸軍の軍医となって、東洋に進出していたオランダの中心地、ジャワのバタビヤに赴任することができた。バタビヤ着後一月もたたぬうちに、長崎出島のオランダ商館づきの医官として、日本に向かうことになったのだった。彼は医学をはじめ生物、地理、人類などのひろい分野に関心をもち日本を研究しようと、この医官の役をひきうけたのである。日本の植物誌、動物誌を完成することはシーボルトの第一の目的であり、同時に日本の民族誌をも彼は計画していた。日本に対するはっきりした研究の目的をもって、渡航してきた科学者としては、まさにシーボルトは最初の人だった。

シーボルト

彼の日本研究を進展させるために、当時のオランダ商館長は、長崎奉行高橋越前守へ文書をもって、シーボルトの活動を保障するように申し入れた。そのなかには西洋の学術がこれまでもオランダ人によって、日本へ伝えられてきたことを説き、近年ことに多くの発見や発明があって、学問技術の急速な発展のあったことを力説した。そして「従来オランダ人が日本に伝授してきた学問や技術には、多くの誤りがあることが知られてきた。そこでバタビヤの総督は、この誤りを訂正するために、ドクトル・シーボルトを派遣したのである」と述べた。

そしてシーボルトが長崎で日本人の病人を診療し、また薬用植物の採集のために市内へ立ちいることの許可を求めた。さらに最後は、「このようにしてオランダが日本を教導しようとするのは、実に二五〇年間オランダが日本から受けた恩誼に感謝しようとするものである」と結ばれていた。

高橋越前守は好意をもってこの申し出を許した。そこでシーボルトに限って出島の出入はゆるめられ、日本側の医師たちが医学上の質問のために、出島のオランダ屋敷に出入することを許したのだった。また長崎の通詞のうちでも吉雄権之助も、積極的にシーボルトを援助した。そのほか医師の吉雄幸載、楢林栄建および宗建の兄弟たちは、奉行所に願ってシーボルトを自分たちの塾へ招くことにした。こうして文政七年（一八二四）三月から、シーボルトは吉雄塾、楢林塾へ出むいて講義をはじめたのである。

彼の授業は医学のみにとどまらなかった。動物、植物、鉱物などの概論から、各種の薬の製法なども、実験をまじえつつていねいに教育した。これは重要なことだった。シーボルトによって人びとははじめてこれまで知っていた技術的な医術の基礎となるべき自然科学の内容、また実験の重要な意味を知るようになったのである。

シーボルトの講義を聞こうとする人びとはしだいにふえてきた。そこで文政七年、シーボルトは奉行の許可を得て新たに郊外の鳴滝の地に塾を開いた。日本風の家だがいくぶん洋風とし、周囲の空地には九州各地の植物をはじめ、オランダから取寄せた植物を植えこんで植物園としたのである。シーボルトは毎週一回、出島からここに来て講義し、また病人を診察した。その間、吉雄、楢林の二人が、重病の患者を選ぶなどのプロデューサーとなった。また手術の必要なときは、奉行所の許可を得て、やはり鳴滝の診察室で行なったのであった。

シーボルトの名声を聞いて各地より集まる学生はひきもきらない。彼らはここではじめて西洋科学の直接教授を受けたのだった。それまでオランダの書物のみを頼りとして学ばれていた蘭学、洋学はここにまったく質的に大きな飛躍をとげることとなった。なかにはシーボルトをしたって遠方から来ていながら、学資の乏しい者もすくなくなかった。シーボルトはそのなかで特にすぐれた才能をもつ者は、鳴滝塾に宿泊させ、また研究テーマを与えて報告を求め、その結果によって、金を与えて学資を援けてやったりした。

シーボルトはこうして学生を教育し援助しつつ、同時に彼の目的である日本研究のための材料として、レポートを提出させたのである。そのために彼は弟子たちにいろんな課題を出した。たとえば、

シーボルトの『日本』にみえる日本人

一、日本人は男子と女子とどちらが多いか（ヨーロッパでは男二〇に対し女二一である）
二、日本人の百人のうち一年に何人死ぬか（ヨーロッパでは三三人に一人である）
三、日本人千人のうち医者になるのは何人ぐらいか、
四、薬剤として植物性と鉱物性とどちらが日本人に有効か、効果のある薬品二、三種をあげよ。

などがあった。また日本の庭園植物の栽培法、日本の医学についてなどの論文の提出を求めているし、製塩法、茶の栽培と製茶法、日本古代史考、勾玉考などの論文も、門人たちによって書かれたことが知られている。しかもシーボルトの門人たちは、ほとんど全国から集まってきた人びとであった。そのためシーボルトは、鳴滝という辺地にいながら、日本全土にわたる必要な資料をレポートによって集めることができた。植物園の植物は千種をこえ、北海道から千島にまで至る資料をあつめることができたと、シーボルトは書いている。自分でも熱心に植物を採集することはもちろん、猟師を雇って鳥獣を狩らせて標本につくり、昆虫もまた人を雇って収集した。その結果、彼がオランダ政府に報告したところでは、文政一一年（一八二八）までに植物二千種、押葉とした標本は一万二千個、哺乳動物三五種一八七頭、鳥類一八八種八二七羽、爬虫類二八種一六六尾、魚類二三〇種五四〇尾、そのほか軟体動物、甲殻類、昆虫などとおびただしいものがあった。これらはオランダ船によって、順次本国へ送られた。同時に一般自然科学、人類学などのレポートによる収集も、すばらしいものに成長してきた。

高野長英

この製茶法のレポートを書いたのは、有名な高野長英（たかのちょうえい）だ。彼は文化元年（一八〇四）奥羽の水沢の藩士、後藤摠介の三男として生まれた。母方は同じ藩の医師の高野氏だが、祖父元端はこの孫をひどくかわいがった。しかも九歳、父摠介が死去した。母の美也はそこで生家の高野家に戻った。元端の子玄斎には女の子しかいない。

元端は長英を養子として家のあとをつがせようとしたのである。元端は医師として藩主に仕えていた。彼は努力家であり医学に熱心で、奥州の田舎での勉強に満足できず、京都に出て医学を学んだほどである。水沢に戻ってからは典医として仕えるとともに、塾を開いて藩の子弟を教育した。長英はこの好学の祖父によって、幼い時からみっちりと仕込まれた。一二歳の時には祖父の塾の分所で、漢学を教えるほどにまで長英はすぐれた才能をもっていた。

文政二年（一八一九）、長英一六歳の時、このすぐれた祖父元端は七九歳で歿してしまった。後をついだのは長英の養父玄斎。ところがこの玄斎も元端の意を受けてか、すでに新しいオランダ医学を学んだ人だった。彼は早くから江戸に出て杉田玄白の門人となっており、仙台藩の侍医、大槻玄沢らと同門だった。長英はまことに幸福な学問的環境のなかに育った。祖父による古典教育、養父による新しい新医学教育、長英がこの両者を併せて、さらに学問を進めたいと考えたのは当然のことだろう。

長英一七歳の時、彼の生家後藤家の次男直之進湛斎が江戸に留学することとなった。長英には実兄にあたる。長英はこの機を逸せず自分もまた江戸に上ろうと考えた。しかし水沢藩は小藩であり、典医玄斎の俸禄も少ない。とても長英を江戸に送り出す余裕はなかった。ところが幸運なことに、そのころ玄斎の入っていた無尽が開かれた。玄斎の代理として出ていた長英がくじをひいたところ親くじだった。そこで一五両の金が手に入ることになった。長英はこの大金を手にして、江戸への遊学を養父玄斎に懇願した。玄斎もついにこれを許した。

しかし勇んで江戸へ出てきた長英や湛斎らには、多くの困難が待ちうけていた。彼らのもってきた江戸での紹介状は、どれも役に立たなかった。それでも湛斎はすでに医術をいくぶん心得ていたので、一医師のもとで代診をつとめることができたが、長英はまったくの苦学だった。彼は水沢出身の薬商を頼って寄宿し、夜はあんまをしてかせぎ、昼は著名な杉田伯元（玄白の養子）の塾に通ってオランダ医学を学んだ。

長英はやがて杉田塾から吉田長淑の塾へ移った。長淑は最初のオランダ内科医である。彼もはじめは漢医であった。しかしのちに桂川甫周のもとでオランダ医学を学びはじめた。そのころオランダ医学といわれるのは、すべて外科ばかりだった。彼は内科こそ重要だと考えていたが、ちょうど寛政五年（一七九三）、宇田川槐園が『西説内科撰要』を刊行した。これはヨハネス・ゴルテルの一七四四年刊の内科書を訳したものである。長淑はこれを読んで、その説のすぐれていることに深い印象を受けた。彼は原書を手に入れてさらに研究を進め、ついにオランダ内科と称して江戸で開業したのだった。日本で西洋内科の名乗りをあげたのは彼が最初である。長淑はまた『泰西熱病論』『内科解環』などの書をのこしている。

しかし文政七年（一八二四）、加賀の前田侯に召されて金沢に赴いたが、不幸にも四六歳の若さで金沢で歿してしまった。長淑は度量ひろくオランダに関することならば、身分を問わず問題を問わず、いくらでも教え、またともに研究するという人がらだった。こうした人物にめぐりあった長英は幸いだった。彼は学僕として塾に勤めながら、その勉学はしだいに進んだ。時には日光山などへ薬草採集に出かけることもあって、おだやかな研究の日が続いた。こうして彼のオランダ医学も進歩してきた。やがて自分で病人を診察し、いくらかの謝礼も得られるようになった。これでなやみの種であった学資の問題もほぼ解決した。しかし彼の探究心はすこしもとどまることなく、さらに翻訳をもはじめたのである。しかしいい辞書がなかった。ところが幸いにも例の藤林普山の『訳鍵』の写本をみつけた。これで彼のオランダ語はさらに深いものとなってきた。

けれども不幸が突然やってきた。共に江戸で医学を学んでいた兄湛斎が、文政六年ふいに病歿した。しかも故郷の父も病み、さらに六年の一二月二五日、江戸の麴町に発した数百戸を焼く大火のために、長英の家も類焼してしまった。つづいて師の吉田長淑は文政七年に歿し、そのうえ彼が身許引受人となった男の盗んだ金の返済のために、仲間奉公さえせねばならなくなった。ようやくに事件が解決したのは八年のことである。

このころ長崎のシーボルトの盛名は江戸にも伝わってきた。多くのオランダ医学を志す人びとは、つぎつぎに長崎へと旅立っていった。長英もまた長崎に向かい、シーボルトのもとで学ぼうと決心した。ちょうど長崎の人、今村甫庵が江戸に上京していた。彼は長英ともともと親しかったのである。甫庵は帰国するにあたり、長英に長崎行を勧めた。長英にはまたとない機会だった。彼は八年の七月、甫庵とともに長崎に向かうことにした。二二歳である。

彼はついにシーボルトの鳴滝塾に入ることができた。シーボルトはすぐ「鯨及び捕鯨について」のレポートの課題を与え、長英は翌年二月にこれを完成した。つづいて『分離術』や『養生論』の翻訳にもとりかかった。こうして彼の蘭学はいちじるしく進んだが、一〇年（一八二七）七月、水沢の父が病歿した。そこで彼の三年にわたる長崎遊学を打ちきって帰国しようとした。この時有名なシーボルト事件が起こったのである。

シーボルトは日本研究のために、熱心に資料をあつめていた。一方、当時の幕府の天文方、高橋景保もまたシーボルトからナポレオン戦記、クルゼンステルンの『世界周航記』、東インド諸島の地図などを得たいと望んだ。シーボルトはこの希望に対して、日本、北海道など各地の地図を交換しようとした。これらは伊能忠敬の手になった精密なものである。ところが幕府は日本の地図、地志類が海外に流出することをきびしく禁じていた。しかし高橋景保はついに意を決してこの交換を決行した。幕府の奥医師、眼科の土生玄碩（はぶげんせき）はシーボルトから瞳孔を開く薬としてロートの使用を教えられ、その返礼として徳川家の葵の紋のついた紋服をシーボルトに贈った。これらの品物が文政一一年（一八二八）、任期満ちたシーボルトの帰国の際の荷物に加えられていた。ところが八月一〇日、激しい台風のためにシーボルトの帰国の荷物を積んだオランダ船は難破し、荷物が検査されてシーボルトの荷物のなかに、多くの持ち出し禁止の品物があることが発見されたのだった。その結果、高橋景保は捕われてからのち獄死し、罰されたもの三八名という大事件となった。シーボルトもまた日本への再渡航を禁止されて、一二年一二月長崎を出帆した。

長英はこの間九州各地をめぐって蘭学を講じつづけた。シーボルト事件に巻きこまれることをさけようとしたとみられる。そののち彼は広島、尾道と旅行しつつ、各地でオランダ医術の手腕を発揮し、その評判はしだいに高くなってきた。しかし故郷の水沢では父歿して三年、長英を迎えようとする声も多かった。しかし彼はついに帰郷を断念した。彼はこの時医師として立つよりも「自ら学事を専にして生涯を過し申度候」と、西洋の学術全体の研究者、紹介者となろうと決心したのであった。そして天保元年（一八三〇）、京都を経て江戸に入り麴町に塾を開いた。時に長英は二八歳だった。

長英は水沢から生母を呼びよせ、塾を開くとともに『医原枢要』の著述にとりかかった。彼はこの時から医学のみでなく、渡辺崋山、小関三英、鈴木春山たちと親しく交際しつつ、西洋科学一般の導入と紹介を考えようとした。彼らのグループは多く山の手に居住していたので山の手組といわれた。これに対して伊東玄朴、坪井信道、戸塚静海らは、同じシーボルトの教育を受けてはいたが、医学のみにその研究を限定しおだやかに体制に順応しようとしていた。このグループは下町に住む者が多いので下町組といった。

山の手組の学問はしだいに西洋文明一般の研究、さらには政治、経済の問題にまで進みはじめた。このころ諸藩は多く経済上の難問をかかえ、また飢饉も起こって内政の困難なころであった。そこで彼ら山の手組は尚歯会(しょうしかい)を結成して、諸藩の政務について相談を受けた場合は、研究ののち答えることをはじめた。新進の蘭学者たちによる明快な回答は、各藩の注目をひくようになった。なかでも長英と崋山は尚歯会のリーダーとしてめざましく活動をつづけた。

天保九年（一八三八）、長崎のオランダ商館長からもたらされた情報に、イギリス船が日本の漂流民を送るために浦賀に来るとの噂があった。幕府はこれについて評議をつづけた結果、来航の時は文政八年（一八二五）に発せられた幕令によって、直ちに打ち払う方針を決定した。この強硬方針を知った長英は直ちに『夢物語』を、崋山は『慎機論』を書きはじめた。『夢物語』はイギリスをはじめとする世界の国情、イギリスのアジアへの進出とオランダとの競争について説き、打払いの強硬方針よりは、ロシア使節レザノフの場合と同じように説諭の方策をとる方がよいとしたのだった。これはもちろん出版されたのではないが、写本として人びとの間で読まれ、将軍家慶までこれを読んで感心したと伝えられる。

しかしこうした蘭学者たちの政治的発言は、官学としての朱子学者を中心とする保守派に忌まれるようになった。保守派は政治面における西洋学系の人びとの進出と勢力の増加に対し、巻き返しを試みた。その第一はこの『夢物語』であり、人心を動揺させる怪文書として著者の処罰、蘭学の禁止を求めたのである。しかし幕府はこれを容れなかった。

これにつづいて無人島事件が起こった。南海の無人島を開拓しようとするプランが、やはり蘭学に心をよせる者から現われてきた。これもまた山の手組の蘭学者から出たものであるとの告発が幕府に対して行なわれ、このためふいに崋山、長英は天保一〇年五月、下獄することとなった。判決は一二月に下され、長英は永牢すなわち終身刑、崋山は田原藩の国もとで蟄居となった。しかも罪はもっぱら『夢物語』に関してのみであった。一〇年にわたる長英の江戸での学究生活はここにむざんな終局を迎えた。多くの門人を前にして医学をはじめとする西洋学術を多方面にわたって講義し、同時に各種の訳書、紹介書をつぎつぎに世に送りだした長英の学塾大観堂は消えたのである。

天保一二年、長英は入牢後三年で牢名主となった。江戸時代の牢のなかには一種の自治制度があったものだ。その最高が牢名主、ついで添役、角役などがあってこれを牢役人という。牢名主となると、牢のなかでも一種の特権的な存在だった。入牢する者はみな金をかくしてもってくる。それらはみな牢名主以下の牢役人の収入となる。一方牢番たちはこの金に目をつけて、金さえ出せばこっそりと牢外との文通を引き受けてくれるし、酒、煙草、菓子なども買ってきてくれる。だから長英が早くも牢名主となったことは、彼にとって大きな幸運だった。入牢に至る事件の経過を記した『蛮社遭厄小記』も、牢名主となった彼がひそかに牢外へ送りだしたので、人びとに知られるようになったのである。その最後に彼は記している。

「蓋シ東都獄ヲ置テ今ニ至ル迄二百六十年、此間犯罪ノ徒獄ニ下ル者幾百万ヲ知ラズ、然レドモ瑞皐（長英）ノ如キ心ニ忠節ヲイダキテ著述ヲ以テ罪ヲ得ル者未ダ二人ヲ見ズ、而シテ都下ノ風説頗ル高ケレバ、牢屋奉行石堂帯刀殿ヨリ大小節級ニ至ル迄是ニ遇スルコト頗ル厚ク、且近頃ハ擢ンジテ囚人ノ世話役トナシ玉ヒケルニソ、苦中ニモヤヤ安佚ノ便ヲ得シトナン、コレ不幸中ノ一大幸ト云ベシ」

高野長英

たしかに長英の罪状は終身刑とされるほどのものではなく、しかも彼の学力はひろくみとめられていたのである。このために長英に対するひそかな同情や減刑運動も進められていた。ところが天保一四年（一八四三）、幕府の老中水野越前守忠邦以下が退いて、新しく阿部伊勢守正弘が老中となった。彼は開明家として知られた人物である。この政変を機として、減刑のきっかけを得ようと長英は「万国地理書」一〇〇巻の

った。
翻訳を願い出た。しかし許可は下りず、さきに退いた水野忠邦はふたたび老中に復してしま

弘化元年六月三〇日、伝馬町の獄舎は火災を起こした。当時火災が起こると囚人は三日を限として一時解放された。そして三日以内に戻れば減刑され、おくれたり逃げたりすると罪は加重されることとなっていた。けれども長英はついに戻らず、友人や門人の伝手を求めて諸国を潜行する身となった。時勢ははげしく動いていた。イギリス船、アメリカ船をはじめとする諸国の勢力はあいついで日本に迫ってきた。海防論が盛んとなり、新しい西洋の軍事技術を研究し整備することが、まさに時代の急務となってきた。けれどもオランダの軍事技術書などを自由に読めるものは、長英を除いてはほとんどいなかった。そこで長英は各地を潜行する間も、ひそかに翻訳を進め、それらは写本としてひろがっていった。

嘉永元年（一八四八）が来た。海防のために西洋軍事技術の採用も本格的となる。長英と同じように一時は罪に落とされかかった高島秋帆も、その西洋式の砲銃術が採用されて返り咲くことになる。品川砲台の建造も開始される。この時節に長英に着眼したのは、四国宇和島の藩主伊達宗城であった。彼は長英の才を惜しんで早くから家臣に長英と連絡をつけさせ、ひそかに兵書の翻訳をさせていた。しかし長英の江戸潜伏も危険となったので、宗城はついに彼を宇和島に招くことにした。長英はそこで蘭学者伊東瑞渓として、塾を開きオランダの学術を教えまた翻訳に従った。しかしわずか一年余でまた幕府の知るところとなったの

で彼は宇和島を去り広島へ向かった。しかし広島もまた安心できず、さらに薩摩に向かった。薩摩にはこれまた以前から長英の才を認めていた島津斉彬がいた。しかし長英は不運だった。当時島津家の久光と斉彬とは、家督問題をめぐるお家騒動の只中にあった。しかも保守派である久光グループは、斉彬の蘭学好き、西洋好みを攻撃する。こうした時期であったため、斉彬も長英を積極的に迎えいれるわけにはいかない状態であった。長英もやむをえずふたたび鹿児島から四国へ渡り、ついで大坂、名古屋を経て江戸に戻ってきた。この間に彼は薬品で顔を焼きその姿を変えていたという。嘉永二年八月のことである。彼はすでに四六歳となっていた。その翌年、青山の百人町に沢三伯と称して医師を開業した。そして夜はもっぱらオランダ書の翻訳をつづけた。しかし一〇月三〇日の夕方、ふいに幕府の捕手に襲われた。長英は短刀をふるって戦いその一人をたおしたが、力尽きて自殺した。

長英の語学力はすばらしいものであった。シーボルトが「門下のうちで最もすぐれた人」と賞讃しているように、彼はすぐれた語学力を駆使して多くの翻訳書をつくった。その著訳書は八三部数百巻といわれる。『医原枢要内外篇』は、日本で最初に生理学の理論を紹介したものであり、『三兵タクチーキ』は、歩兵、砲兵、騎兵の三兵戦術を講述したもので写本としてひろめられたが、一部五〇両でも手に入りにくいとさえいわれた。そのほか医学、薬学、博物学、天文学、農学、軍事学などあらゆる面にわたって西洋学術の実用性を紹介することに努力した。しかもその訳文は正確で文章もたくみであったので、潜行中に名を秘して訳出した書物も、一読した人はすぐに高野訳であることを覚るほどであった。そのため内密に軍事書の翻訳を依頼する諸大名も多く、直接間接に彼を保護しようとする者も多かった。そこで長英は潜行中でもいつも翻訳の仕事があるため、経済的にもゆとりをもつことができた。彼の長期にわたる潜行を可能にしたのは、一にその優秀な語学力やシャープな才能だったのである。同時に長英の悲劇は、直接的に西洋科学の洗礼をうけたものが、批判精神にめざめてゆくなかに生まれたものであった。それらは山の手組共通の思考であり、運命でもあった。

高橋景保

シーボルト事件で不幸な最後をとげた高橋景保（かげやす）は、高橋作左衛門至時（よしとき）の子で、同じく作左衛門といった。父至時に死に別れたのは二〇歳の文化元年（一八〇四）である。父のあとを継いで天文方となった。後見には大坂から江戸に来た間重富がおり、下役には伊能忠敬がいる。このすぐれた先輩に援けられて景保は天文学者としての成長をはじめた。彼は天文学についてては父至時ほどの才能をしめさなかったが、伊能忠敬の測量事業については熱心に尽力し忠敬が士分に取り立てられ十人扶持を与えられるようになったのも、景保の時からであった。また父至時の遺業である『ラランデ暦書』の翻訳も、間重富に援けられてその仕事を進めたが完成できず、ストルイクの著書を訳した『古今彗星志』も第一冊ができただけだった。これらの仕事は景保の弟で渋川家をついだ景佑（かげすけ）によって完成された。天文学の面では、弟景佑の方がはるかにすぐれた才をもっていたのである。

ヨーロッパ諸国がしだいに日本に近づいてくる時勢にあって、幕府もまた世界情勢を知るためにすぐれた地図の必要を感じた。そこで文化四年一二月、景保は西洋の書物によって正しい世界地図を作ることを命ぜられた。そこで彼は暦局内に地誌御用の係を置いて世界地図の編集をはじめた。協力者としては間重富と、この地図のために長崎から招致した通詞出身の馬場佐十郎貞由があった。彼はまずひろく世界図の資料をあつめた。今日残る彼の旧蔵本に、一七四七年刊のグリーンの地図帖六〇図に、ドイツ、フランスの書物から切りぬいた六七四の地図を貼りこんだものがある。彼の収集のひとつであろう。そのほかにも彼は各種の地図を集めたが、特にイギリスのアロースミスの地図を基本とした。こうして三年を経た文化七年、はじめて万国地図を完成した。これは銅版画の名手亜欧堂田善によって銅版図とされ、「新訂万国全図」と呼ばれたのである。これには京都を中心とした両半球図があったり、太平洋岸に大日本海の記入などが見えたりして、日本を強く意識した景保の態度がうかがわれる。なおこの試作図として文化六年（一八〇九）に「新鐫総界全図（しんせんそうかいぜんず）」が出版されている。これも亜欧堂田善によって銅版とされた。このあいつぐ二つの世界図の刊行は、日本の地図製作史の上に一新紀元をひらくものだった。

また伊能忠敬の実測をもととし、測量の終わっていない部分は、かつて長久保赤水（ながくぼせきすい）の作っいない。

た日本図で補充した「日本輿地全図」も景保によって製作された。しかしこれは刊行されていない。

さて景保が父を失った文化元年には、ロシアの使節レザノフが仙台藩の漂流民を送り届けるとともに、開国を求めて長崎に入航した。レザノフは国書三通をもっていたが、その内容はロシア語文、満州語文、日本語文の三種であった。どれも羊皮紙に金泥で文章を書き、草花や武器などを極彩色に散らした豪華なものだった。しかし日本文もロシアに漂着した日本の漁師などに書かせたものだったので、意味がなかなかとれなかった。しかも当時の幕府には満州語もロシア語も読める人は誰もいなかった。しかし幕府は鎖国の祖法を固く守って動かず、レザノフもおだやかに帰国したが、この時国書の写しが日本に残されたのである。

文化五年（一八〇八）景保にこの国書のうちの満州文のものを読解するようにとの命令があり、同時に輸入されて間もない『増訂清文鑑』という満州語の一種の辞書も貸しだされることになった。しかしこの辞書は使用に不便だったので、景保はこれを改編して『清文韻府』を作り、文化七年の九月に読解を終わった。これが日本人が満州語の文を読んだ最初である。

景保はさらに満州語辞書の計画をたててその作業を進め、文化一〇年には三〇巻ほどが出来上がりいよいよ清書して幕府に提出することになった。ところが不幸なことに暦局の中にあった彼の居宅が一夜火災にあい、多くの書物や機械のすべてを失ってしまった。「草稿

（辞書の）迄も焼失、六箇年の功労空しく相成、残念至極に御座候」と、彼は伊能忠敬への手紙のなかで書いている。六年の苦労は水泡に帰した。その心中はどのようであったろうか。しかし彼は気を取り直してふたたび仕事にとりかかった。そして一三年（一八一六）の三月『満文輯韻（まんぶんしゅういん）』二七巻を完成し、浄書して幕府に提出した。また同じ年には『満文散語解』と題する満州語文の助辞の解釈書も作った。このように景保は全く独創的に満州語の研究を独力で進めた。彼によって書かれた満州語関係の書物は、今日知られるだけでも一一部七〇余冊に及んでいる。

当時ロシアあるいはイギリスの使節が来航するなど、幕府の外交関係は複雑となってきた。景保はこのような時勢からみて、長崎にあるオランダ通訳官のみに重要な外交文書をゆだねていてはならぬと考えた。彼はそこで文化八年、天文台に翻訳局を設立してここで外交関係の文書やオランダ書を敏速に翻訳できるようにすることを建議した。この建議は直ちに採用されて、蛮書和解御用方の役が置かれた。これがのちに洋学所―蕃書調所―洋書調所―開成所と変遷して、ついに明治以後は東京大学となるのである。

御用方が着手した大事業は、ショメールの百科全書の訳であった。これはフランスのショメールが一七〇九年に編んだものを、オランダのデ・シャルモットがオランダ訳し、さらに増補や訂正を加えたものである。日本には数部が輸入されて、幕末の蘭学者にとって貴重なものとされていた。佐久間象山も「天地万物古今往来誠に滞る所無く其理を究め候書」と評価しており、ショメールの記載に従っていろんな製造技術をテストした人も多かった。ショメールの翻訳は最初は馬場貞由、大槻玄沢、ついで宇田川玄真、榕庵などと、代々の洋学者によって翻訳が継続された。原書はもちろんアルファベット順になっているが、翻訳ではこれを生植部、巧芸部、疾病部、金石土部などと分類して整理し、実際利用に便利なようにした。その原稿本は今も静岡の葵文庫に百数十冊が残っている。訳書は『厚生新編』と題された。

大槻玄幹は「蘭学事始附記」で、

「高橋氏は父の業を継ぎ伊能氏が日本測量地図の総裁として、また世界地誌の総裁をなすに至れば、通詞及び蘭学の者を手に属し日官に予らざるショメール御用も其手に附て勤仕する様になりたり、此人学才も乏しけれど、世事に長じて俗吏とよく相接し、敏達の人を手に属して公用を弁ぜしが故に此学の大功あるに似たり」

と批評した。

職人と発明家

——国友藤兵衛——

近江国、坂田郡の国友村には、古くからすぐれた技能をもつ鍛冶職の集団が住みついていた。京都に近い彼らは、中央で要求される新しい製品に、敏感に反応しその要求に応える生き方を知っていた。天文一三年（一五四四）に、彼らは時の将軍、足利義晴から鉄砲製作の命を受け、二挺をみごとに完成したのもそうした動きのひとつだった。

戦国期は誰しも知るように、新しい戦法や兵器が一挙にクローズアップされてきた時代である。下剋上の時代は、すべてに対して新しい革命が要求され、その革新にいち早く対応しえたものが勝者となる時代であった。その第一の勝者が織田信長であったことは周知のことだ。彼は新しい銃隊戦法のための兵器工場として国友村を見出した。天文一八年、信長は五〇〇挺の鉄砲をこの地に注文したという。この大量の注文に応じるために、国友村の鍛冶たちはおのずから生産のための体制を形づくっていった。そして国友村の鉄砲鍛冶をどのように利用するかは、以後の戦国の覇者たちの重大な関心事となった。

関が原の合戦によって天下の実権を握るようになった徳川家康も、国友鍛冶を独占する方策をすすめていった。慶長一二年（一六〇七）家康は国友鍛冶に対する掟書を定めて、きびしい統制と管理を行なうことにした。鉄砲鍛冶が他国の大名に抱えられることを禁止し、火薬の調合や、銃の口径と弾丸の重さの関係などのいっさいを、鍛冶職の取締りにあたる年寄のみに限られる秘密としたのであった。こうして徳川氏による国友鍛冶の統制はいよいよ厳格となり、幕府の管理のもとにある集団の兵器工場となったのである。もちろん製品は一手に幕府に買いあげられ、同時に鍛冶職たちの生活も保証された。

しかし幕政も安定し天下に太平の気分がしだいにみちてくると、兵器生産はさほど重要でなくなってきた。銃器の需要もしぜん減少してくる。宝永三年（一七〇六）、幕府は毎年の注文を三〇〇両分にすることにした。寛文九年（一六六九）の注文二九〇〇余両、一二年以降毎年五〇一両と決定されていたのに比べて、これは国友鍛冶にとって大きな経済的な問題だった。しかし平和の時代、軍事工場が不景気となることはやむをえない。一方では物価はしだいに上がってゆく。国友鍛冶の一団は苦しい立場に追いこまれた。

しかも国友鍛冶の組織は、幕府から受ける三〇〇両の代金を、年寄が勝手にきめた割合で分配するという不合理なものだった。このために一般の鍛冶職の収入はまことに小さいものだった。そこで彼らは鉄砲以外の錠前とか、金具類、小刀、火箸などを製作して生計の足しにしていた。また各大名のもとに出入してひそかにその注文を受けていた。これは家康の定めた規則に違反するかどうかで、のちには大きな問題となったものである。

国友鍛冶がこうした状況にあった安永七年（一七七八）一〇月に、一貫斎藤兵衛は生まれた。彼の家は年寄脇といって年寄に次ぐ格の家であった。彼の幼名は藤一、名は重恭である。九歳の時、父の重倫が隠居したので藤一が名をついで藤兵衛を称することになった。一七歳、正式に家を相続して父に代わって年寄脇の役についた。ちょうどこのころは年寄役の者に不正事件があり、それがようやく結末のついたころであったが、国友村は不景気で職人の技能もすっかり低下してしまっていた。

けれども一貫斎の技術はそうしたなかでも、すぐれたものとして知られていたらしい。文化八年（一八一一）彦根藩は彼に重さ二〇〇匁の弾丸を発射する大砲の製造を注文した。ところが年寄はこの注文を受けいれなかった。このため彦根藩は報復手段として、国友鍛冶の領内の通行を禁止してしまった。これは原料の採取、運搬、製品の輸送などにいちじるしい不便を来すことになる。彦根藩は有力な井伊家、国友村は幕府の重要な兵器工場、紛争はそこでついに中央に移されることになった。一貫斎もまた事件に深い関係のある一人であるため、江戸に呼び出されたのだった。この一件の結末がついたのは文化一四年（一八一七）である。事件の原因は一貫斎がそのすぐれた技術のために彦根藩の御用を受けたことが、年寄による統制を乱すというので、年寄がこれを妨害したことから起こったものだった。しかし事件の進展につれて、年寄による支配の不正、しかも年寄はまったく実際の製作には従わないで、収入のみ多くを得ていたことなどが判明した。ある年寄のごときは変名して江戸に出て、医師を開業していたことも判ってきた。その結果、年寄支配は全面的にくずれてしまった。家康の掟書も各大名からの注文を受けることを禁止しているものではない、と解釈されるようになった。それに加えて日本の周辺はロシアやイギリスの進出によって、騒然としはじめていた。海防の充実、軍備の必要が急に説かれるようになった。国友鍛冶は年寄支配の体制から脱けだし、新規の需要に対して活動しはじめることとなった。一貫斎の事件はその糸口となったのである。

彼はこの事件のため江戸に滞在中も、砲術や火術に関する新知識を吸収することに余念がなかった。文政元年の一〇月、彼は友人山田大円を訪れた。大円は眼科医として名声を得ていたが、一貫斎はオランダをはじめとする西洋の事情について、大円からいつも教えられていたのである。

将軍家にはかつてオランダから献上した空気銃があった。それが破損したが誰も修理できなかった。ところが一貫斎はすでに大円から空気銃の原理を聞いてそのモデルも作っていた。さらに大坂城代、小笠原相模守の注文で、実際に作る計画まで立てていたほどだった。それで大円は将軍家の空気銃修理に一貫斎を推したのである。引き受けた彼は一月余りで修理に成功した。

ところがこの空気銃はそれほど威力あるものではなかった。一貫斎はそこで修理の際にオランダ銃をスケッチしたものをもととして、さらにそれを改良し強力なものとしようとした。そして老中京極周防守の命によって製作をはじめ、文政二年三月に完成したのである。彼はこれを「気炮」と呼んだ。これは老中酒井若狭守や松平能登守の邸で試射され、人びとはその威力に驚かされた。五月の若狭守邸での実験の模様を、一貫斎はこまかに記録している。その問答はいかにも生き生きしていて面白い。

若「暑気の節御大儀だ、珍しい工夫が出来たげな、工夫の所を仕掛から拝見をしたい、風をこめる所を拝見」
藤「風はこめておきました」
若「その風をこめる所が見たかった」
藤「恐れながら、左様なれば一、二発打ちまして風をこめましよう」
若「それがよかろ」
標的は杉板四、五分のもの。今すこし厚い板をというと、桜板の二寸四分もあるものがとりだされた。
藤「これはとても通りません」
若「通らずともよい、玉がいか程入り候所を見るばかりだ」
藤「それなれば」

弾丸は六、七分入った。
若「これは感心な事だ、七分程はいった。国友にも見せ」
藤「恐れいりました、此板はとても通りません」
若「是程通ればよい、もう一発」
射ったところ先の弾丸と同じ処に当たり、玉は一寸二、三分入った。
若「これは感心だ、誠に同穴だ、国友鉄砲は名人だ、国友に見せ」
藤「拝見仕ります。これは誠にまぐれ当たりでござります」
若「こういうまぐれなればよいでないか、もうひとつ放せ……」
こんども近くに命中、六、七分入る。
若「感心いたした、こちらに伯父が参りていられるから、それにも物見させて下され、次男の是にも見せて下され。又家来どもも見たかろから頼む、そうしたら風のすくなるであろうから、風吹きこませてもらいたい、休息をしてきましょう」
それから次男や家老、用人一三、四人も出て一貫斎が二発打つのを見た。若狭守と伯父はこんどは一寸二、三分ほどの杉板を用意させた。
若「国友、風を吹きこむ所から拝見」
藤「御前ではとてもできません」
若「それは足でふまえて吹きこむからか」

藤「御意にござ候」

若「業の事だから苦しくない、是で」

それで二間ほど後に下ったところ

若「いやいや、これでこれで」

というわけで一貫斎は空気をつめたが、さすがの彼も汗びっしょりになったという。そして彼は殿様と自分が畳一間ほどをへだてて話を交したことについて、いたく感激したのだった。いかに士分扱いの身分とはいえ、一貫斎はやはり一介の鍛冶職人にすぎぬ。身分制のきびしい当時のことである。この若狭守の国友に対する待遇はまさに破格であり、それゆえ一貫斎を感激させたのである。しかし気炮の価値を知った武家たちは、同時に支配者としての心がまえを忘れてはいなかった。最初に気炮を求めた京極周防守は「これは天下の重器であり宝である。ぱっと噂がひろがらぬようにしたい。場合によっては秘密にせねばならぬかもしれぬ」と述べた。けれども諸大名はこうした老中の意向におかまいなく一貫斎に注文を発し、多くの空気銃が製作された。またこれを模造する者も多かった。一貫斎はことのすべてを『気炮記』なる一書に書きのこしている。

さて鉄砲の製作は幕府が厳重な統制を加えたことからもうかがわれるように、その製法は重要な機密とされた。そして鍛冶の間でも手工業者に共通な秘伝として代々伝えられてきたのである。そのために、国友鍛冶がそれ以外の人びとを使用しようとする時は、きびしい宣誓をさせ、秘密を他にもらさぬようにしたのだった。しかし時勢は今や国内相互の軍備の問題から、海外諸国対日本の問題となってきた。海防の要が識者の間に痛感されるようになった。それには兵器の増産が急務である。

このとき一貫斎は『大小御鉄炮張立製作』を書いた。彼はそのなかで、

「私は年来工夫の結果、一分玉から十貫目玉を射つ銃砲が容易に出来るような方法を工夫いたしました。もし必要の場合にはこの方法で製作すれば、専門の職人でなくてもこのテキストによって御役人方が指導されればどんな大型のものでも、鍛冶の心得のある者ならば自由につくることができます……」(原文、文語)

と記した。これは当時としてはめずらしい技術の公開であった。しかもその技術は規格化され、鍛冶の技術をもつものならば誰でも製作できるのである。兵器の生産に最も必要な条件として、大量をスピーディに生産し、かつそれが規格化されねばならぬことを、一貫斎はこの時早くも見ぬいていたのだった。彼はこの書を文政元年(一八一八)には松平定信に献じ、翌年には加賀の前田侯に呈上して、銃器の量産を望んだ。しかしこれは時の当局者には理解されず、この書の効果はさほどではなかった。しかし一貫斎にとって、この製法をまと

めたことは彼の現場の弟子たちを教育するのには便利なものとなった。彼はこの自分の開いた製作技術を能当流と呼んだ。

彼はまた銃砲の使用技術についても熱心に研究した。製作者は同時にその使用法についても十分の理解をもたねばならぬ。そこで彼はまず砲術の各流を学んだ。そのうち特に自得流については秘伝を受けている。

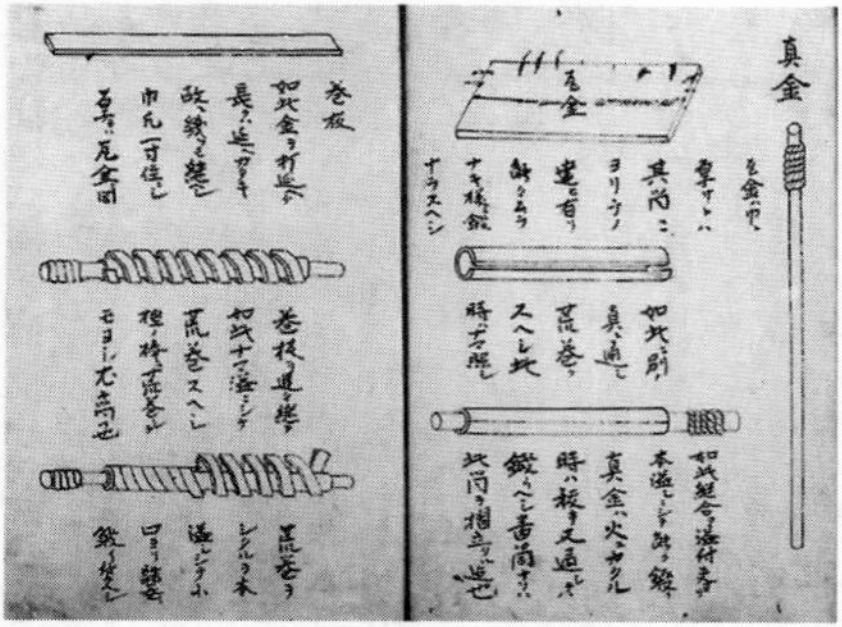

『大小御鉄炮張立製作』

弓の矢を機械的に正確に発射するものに、弩（いしゆみ）という形式がある。弓身に対し十字形に柄をつけたもので、柄の一端に引金がありこれで弦をくわえて、弦をひくものであった。矢は柄に添っておかれる。ことに引金に機械装置をつければ、きわめて強い弓身も容易に弦をひくことができ、それだけ強力な勢いで矢を発射することができることになる。

弩は中国では漢代からひろく用いられ、歩兵用としては伝統的に重要な兵器だった。また弓身を二重、三重に組み合わせて強化したもの、機械仕掛で弦をひくものなど、いちじるしい発展をみせている。また西洋でも銃砲の使用される前は、中国と同じようにひろく普及した重要な兵器だった。ところが弩は古代の日本では一時用いられたが、以後はほとんど使用されていない。

一貫斎はこの忘れられた弩に新しい生命を与えようとした。彼は弓身に焼入れした鋼鉄を用い、強い弾力を得ようとした。文政一二年、この弩は完成して加賀の前田侯に献呈された。そのほかにも生産されたかどうかは明らかでない。しかし金属製弓身は西洋の進歩した弩には用いられており、一貫斎もまた独立に同じように高度な弩にまで達していたのである。

一貫斎はそのほかにもさまざまの器械や器具を考案し製作した。たとえば水戸家に伝わる秘鏡があった。これは日光をあてると、裏にある文様が表面に浮かび出るものである。彼はこれをみてすぐにその原理を知り、八田の鏡や、吉田流の神道で用いる四段幣帛を裏に刻したものを作った。この種の鏡はのちには魔鏡と称され、明治のはじめ日本にやってきた外人教師たちの注目をひいたものである。彼らはこれを魔鏡（マジック・ミラー）と呼んだ。鏡は文様が鋳出されてからみがかれる。すると文様通りに鏡面にわずかのひずみができ、これが反射光線で文様として見えるものであった。

また懐中書の製作がある。これは一本の筒に朱肉入れ、印、糊、筆、墨汁を組み合わせていれることができるようにしたものであった。これをさらに簡易にしたものが懐中筆で、今日の万年筆と同じ意味のものだった。墨汁は棉にふくませて入れられた。「懐中にて温まり候時、墨太く出で申し候、又筒冷え候時は、墨かすり申し候」と説明書にあるのは、熱による膨張と収縮を経験していたものとして注目されよう。また距離を測る器械、水の上に油を浮かせて油の使用を経済的にする灯火など、ちょっとした物理現象を利用した器具もいろいろと製作し売り出したのだった。

がなかでも注意されるのは晩年になってはじめた天体望遠鏡の製作である。彼はかつて文政年間のはじめごろ、成瀬侯の邸でオランダ製の望遠鏡をみて、いつかそれを製作することを心にきめていたという。当時、望遠鏡は観測器械としてかなり広く知られていた。彼は自分もまた天体観測を試みようとし、天保三年（一八三二）、五五歳の時からその製作を開始したのだった。

彼が作ろうとしたのは反射望遠鏡である。反射鏡を彼は神鏡などで熟練した青銅鏡によって作ろうとした。この青銅鏡の鋳造、また表面を凹面に研磨することに、彼は非常な苦心を重ねた。そしてこれらの難問についてほぼ成功の域に達したのは天保六年（一八三五）ごろであった。レンズは水晶を研磨して作られた。

一貫斎は望遠鏡を製作しつつ一方で天体観測もはじめた。その最初は天保四年一〇月一一日で、この夜彼は月と木星を観測し、その有様をスケッチした。望遠鏡はもちろん手製のそれであった。彼はこの観測によって、みずからの望遠鏡の欠点をとらえこれを修正しつつ、さらに観測を進めたのであった。

彼は「日月星業試留」と題した観測ノートをのこしたが、そのうち最も重要なのは、太陽黒点の連続観測である。それは天保六年正月六日から翌七年二月八日に至る一四か月、観測日数一五六日、一日に二回観測した日もあって、観測回数二一六回という長期にわたるものであった。また六年の七月の観測では黒点の半影を発見し、「今日始て見る、此の如く薄く煙の様に見え申し候」と記した。そして黒点については「日の黒点は煙の様に相見え申し候、日は総体火もえ、黒き所火の燃え申さざる所と存じ奉り、それ故黒き所のふち薄くにじみ候様に見え申し候は、煙の火の有る所へかかり候と存じ奉り候」と解釈した。また黒点の

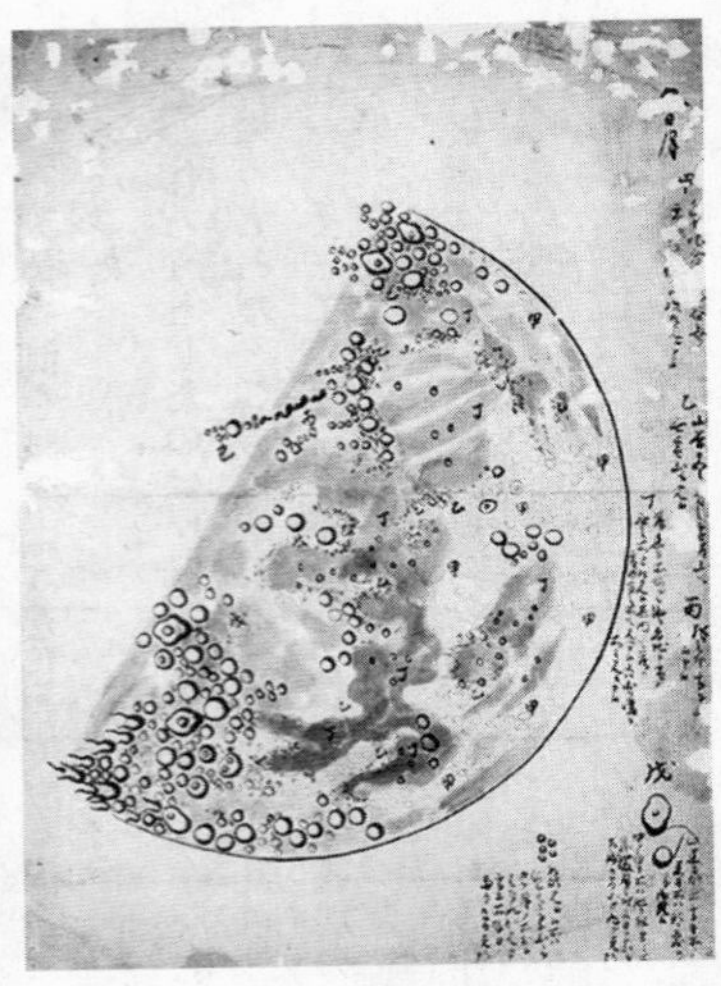

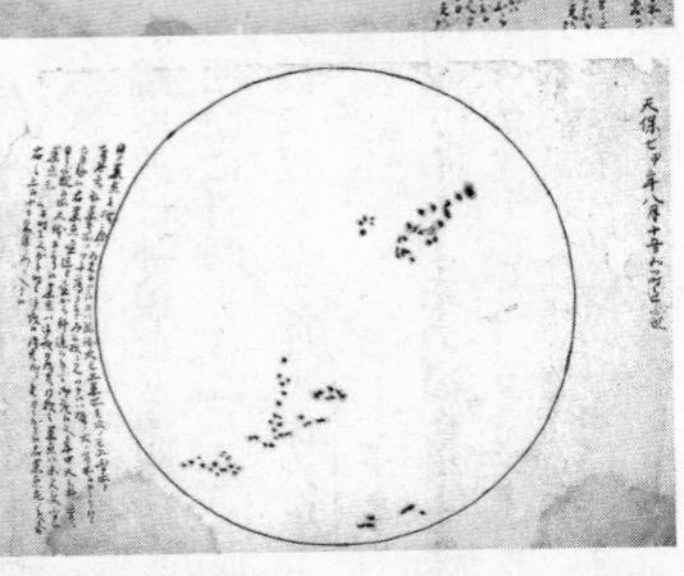

国友藤兵衛の観測スケッチ、月の表面（上）、太陽の黒点（下）

移動によって太陽の自転に気づき、「黒点左の下より右の上へ十日前後の内に入申し候」とノートに記した。

一貫斎の製作した望遠鏡は性能もよかった。天保七年、測量方の役にあった間重新（重富の子）と足立左内が一貫斎の望遠鏡を調べたところ、オランダ製のものに比べて倍率も大きく、明るさもすぐれていることが知れて、大いに感心したといわれる。一貫斎はこれに力を得て、天保の飢饉の折には望遠鏡を諸侯に売りこむことによって、苦しい日々を切りぬけることができた。そののちも彼は望遠鏡製作に精進して、特に反射鏡については抛物面鏡に近いものを磨きあげるまでに進歩し「最上ノ工夫也、磨は是二十分也」（天保一一年―一八四〇）と記すに至った。それは正月九日の記録である。そして同じ年の一二月三日、いつものように氏神の日枝神社の菩提寺の因乗寺に参って帰宅した彼は仏壇の前に坐って礼拝をつづけた。突然彼はうめき声をあげて倒れ、そのまま不帰の客となったのである。年六三歳であった。ヨーロッパの初期の科学が、職人の科学、技術に支えられていたのと同じように、日本の職人もすぐれた合理的な技術者を生みだした。物をつくることは、究極は合理に至る仕事なのであるから。

哲学的な砲術家
――坂本天山――

天保八年（一八三七）二月、大塩平八郎が大坂で乱を起こした。天照皇太神宮、陽武両聖王、救民と記した旗を押したてた大塩の一党は、大砲四挺を曳きながら一九日の朝、天満十丁目へ現われた。その勢力は三〇〇人ほどであった。

急報を受けて大坂城や町奉行は動揺した。この時玉造口の月番であった与力は坂本鉉之助である。彼は荻野流の砲術の名人として知られ、大塩とも交友があった。ちょうどこの日は、大砲射撃の準備のために火薬を調合する日となっていた。異変を聞いた坂本は直ちに出勤し、東町奉行所の防御について敏速に処置した。つづいて彼は三二人の銃隊をひきいて平野橋で大塩の隊と衝突し、その射撃が効を奏して、大塩党はたちまち離散し一〇〇余人となってしまった。

坂本はさらにこれを追撃し堺筋で激しく交戦した。彼はここで大塩党の大砲にかかっていた浪人一人を射ち倒し、その結果大塩党の多くは武器を捨てて逃れるに至った。大塩の乱で幕府方と大塩方との衝突は、実際はこの二回のみだった。被害はむしろこれによって起こった火災の方がはるかに大きかった。坂本はその後「賊徒と戦ひしは何町なりしか、西を向いてやら北を向いてやら、夫さへ禄に覚なく、ひつきよう申さば夢中同然といふものなり」と語っている。太平の眠りをさました実戦、しかも市街戦であったことはまさに坂本のような練達の士にあっても、最初の体験なのであった。

乱が鎮圧されたのち、坂本は抜群の功があったとして、新たに大坂御鉄砲方に任命され、御目見得以上の末席に進められ、かつ銀一〇〇枚と大塩方からの分捕砲一挺を与えられた。

この坂本鉉之助の父親こそ、従来の旧式な荻野流砲術を改革し、新荻野流、ふつうに天山流といわれる砲術を創案した坂本天山であった。鉉之助は父の天山に、わずか一三歳の時、九州の平戸で死別したが、やはり父の遺志をついで砲術の名手となったのだった。万延元年（一八六〇）九月、七〇歳で大坂に歿した。

鉄砲すなわち小銃が種子島を経て伝来し、戦国時代の要求に応じてたちまちに日本の武家の間にひろがったことは、誰も知っていることである。日本の武術が多くの流派に分れ、それぞれ秘伝をもったのと同じように、これらの銃砲の取扱いや火薬の製法についても、多くの流派が生まれることになった。それには小銃を中心とするもの、大砲を中心とするもの、この両者を兼ねるものなどさまざまがあった。一火流、稲富流、外記流などと幕末までには実に三〇余流が数えられる。このうち幕府に仕えて中心となったのは、元和九年（一六二三）から仕官した稲富重次による稲富流、慶安元年（一六四八）に入った田付四郎兵衛の田付流、井上外記による外記流があった。そのうちでも田付、井上の二家は代々幕府の銃砲を扱うことになった。もっとも彼らが重視したのは主として射法にすぎず、銃砲や火薬の製造と改良にはほとんど関心をもたなかった。このために日本の火器は、幕末になるまでその性能の向上はまるでみられず、種子島に伝来した当時のものと、さして変わりないのがふつうであった。

これら諸流派のうち、かなりの勢力をもったものに荻野流があった。荻野流は享保年間、坂本英臣の手によって信州高遠（たかとお）藩に導入された。高遠藩は内藤氏、山間の小藩であった。延享二年（一七四五）五月二三日、英臣に長子が生まれた。名は俊豈、字は伯寿、のちにはみずから天山と号した。

高遠藩は山深い後進地、武張ったことは尊重されたが、文をたっとぶ空気には乏しかった。天山の父英臣は高遠にも何とか文の匂いを生み出させようと考えていた。そこで学問にすぐれた子が生まれるようにと、まだ天山が母の胎内にいるときから読書を聞かせたといわれる。

そのためでもあったか、天山は幼少からすぐれた才能を発揮し、砲術師範の父が門人を指導するのを傍らでながめながら、そのいくつかを覚えこんでしまう有様であった。そして二三歳のころには父の伝える射技法のすべてを学んでしまったのである。そのころ父は病のために引退したので、天山は代わって家を継ぎ一二〇石を与えられることになった。

しかし天山は決して教えられた砲術のみで満足しなかった。彼はさらに荻野流の本質をきわめようと考え、二四歳、明和五年（一七六八）にわざわざ大坂にある荻野流の宗家荻野照良について砲術を学ぼうとした。しかし宗家での論議に何の新しさも深さもないことを知った彼は、失望して高遠に戻った。この時彼は四月一一日に高遠を出発し、五月にはもう帰っている。大坂滞在はごく短い。彼の失望ぶりが知られよう。この時から天山は独力で砲術の研究を進めようと決心したのだった。

明和七年の五月、藩主の内藤頼由は江戸に参勤交代のために出発した。天山もまた藩主に従って江戸に出た。この江戸行は彼にとって大きなプラスであった。彼の先輩である中根経世はすでに江戸にいて、多くの学者たちと交友をもってい た。天山は中根の紹介によって、これらの人びとと交わることができ、ついに儒学者として有名な荻生徂徠の高弟、大内(おおうち)

坂本天山

熊耳（ゆうじ）の門下となることができた。彼は翌年八月、帰藩したがこの一年余りの江戸滞在は大きな刺激を与えたのである。安永二年（一七七三）彼は再度江戸に赴いたが、成熟期に入った江戸の文化は、天山に多くの新しいものを与えたのだった。

天山は父親が望んでいたように儒学についても深い興味をもち、自分で「文学ヲ好ミテ本業トシ、武技ハ緒余ニス」と述べている。彼は中国の元・明時代の書物から火薬や銃砲、あるいは戦法に関する資料をあつめ、また日本の各流の特徴についても、しさいに検討した。そして銃砲の製作、弾丸の構造、射法から軍陣の編成などすべてにわたる改良を考えようとしたのであった。

天山はこれらの改良にあたって、その基礎の思想を儒学の易におこうとした。『易経』の説くところを一種の技術の哲学と考え、易の説によって銃砲関係の全技術を統一しようとするのである。たとえば「砲銃大小一致弁」と題した天山の著述がある。大型の砲と小型の銃とを区別し、その射法も操法も別であるのがこれまでのふつうの流儀であった。遠距離戦には砲を使う。近距離戦になると銃を使う。これが常識だった。ところが天山は近距離でも大型の砲で散弾をスピーディに打ちだせば、かえって多くの銃以上の効力があると考え、弾丸や砲を改良したのである。これが彼の「砲銃大小一致」であった。「此一致ト云フモ易伝ノ字ニテ一致ニ仕オオセタル所ハ則チ帰蔵ナリ、余ガ技尽ク聖経ニヨリタル証」と彼は記している。

周発台模型

天山のこうした易による解釈、あるいは儒学の言葉によって、実際技術の裏付けとしようとするのは、一面では技術の神秘化であり、技術を呪術化する態度であるともいえよう。しかし実際的な技術の統一に対して、一個の思想をもってしようとしたのは、いえば技術の哲学をつくろうとするものであり、技術の哲学による現実の技術の体系化であったともいえる。この意味で天山のそれは、江戸期にはめずらしい発想であった。彼がそのほか「銃技神化詰」を書いて、砲術家が精神と技術の一致を図らねばならぬことを説いたのも、その一端の現われであった。

実際の技術として天山が特に有名となったのは、周発台の発明である。当時の砲は弾丸と火箭の両者を発射するように用いられていた。弾丸は今日のものと異なって、まるい鉄製のボールである。だから命中したところでは威力を発するが、爆発しないのでそれ以外の処ではさほど恐るべきものではなかった。また火箭は矢型のものに火薬を付けてとばすもので、しかも今日の散弾風に多くの小弾丸を散布することもでき、またその火によって照明や焼夷用とすることもできた。

これらを発射する砲を支持する砲架は、荻野流の場合は背の低いもので、このため弾丸をこめたり、発射したりすることは便利であったが、火箭のように大きな仰角で打ちだすものには不便であった。それで火箭の場合には柱に横木をつくり、それに立てかけて発射した。この不便さを除くために、天山が考案したのが周発台であった。

砲架は木製の滑台上に取り付けられる。滑台からはピボットが出ておりこれはさらに円筒形の台に接続される。また滑台は中央に蝶番があり、下方に折れるようになっている。左右の旋転はピボットによって一八〇度まで自由である。また滑台は蝶番で下方に折れるので、砲架は八五度までの仰角をとることができる。砲は発射したとき必ず反動で後退するものだが、滑台があるので、砲架は台上を後退するのみで、砲架に綱をつけておけば、すぐ巻き戻して砲架をもとの位置にかえすことができる。これはヨーロッパでナポレオン時代に発明された駐退装置と同じ原理のものであった。周発台のテストは安永七年、三四歳の時に行なわれ成功することができた。

これは一個の砲を多面的に使用できる台であり、また速射に便利なものである。つまりさきに記した大小一致の理論の実際化であった。また彼は銃に匹敵しうるだけの速射ができると信じ、寸番打と称して一寸の線香がもえる間に何発発射できるかの練習も熱心に行なった。もちろん当時町打と呼ばれた遠距離射撃の訓練についてもきびしいものがあった。

戦術、戦法においても天山は銃砲の利用を中心とした戦術を研究し、三五歳で『銃陣詳節』を書いた。その構成は中国の古兵法の書『孫子』によっているが、個人戦闘でなく集団戦闘、刀槍よりも銃砲を主役としたものであった。この書をさらに実用的に論じた『銃陣詳節附録』のなかで彼は、銃の大小や携行弾薬量などについてもくわしく述べ、銃装した騎兵隊を提案した。そして従来のような槍などはまったく不用と言いきった。この先進的な天山の提案は藩においても注目され、天明四年（一七八四）には彼の訓練した銃隊による演習が行なわれて、その採用が決定され、七年には三百目玉筒の鋳造が命ぜられた。三百目玉筒とは重さ三〇〇匁（約一・一キロ）の弾丸を発射できる砲のことだ。

天明三年七月、天山は三九歳で郡代に任命された。天山は政治にあたっても理論的に厳格であった。彼が管轄するなかの一村に、毎年天竜川の洪水で苦しむ地があった。ところが対岸は幕府の直轄領であり、それに遠慮して高遠側は洪水を防ぐ堤防を造ることができなかった。天山は郡代となってこの事情を知ると、幕府領であろうと何の遠慮があろうかとすぐ堅固な堤防を建設させた。またこのような水防に努力をつづけ新田を開く者のためには、賞揚の文を作って石に刻ませて表彰したのである。しかし百姓が一揆を起こしたときは、直ちに出動して鎮圧することも速くきびしかった。

駒ガ岳もまた彼が管轄することになったが、その事情はよく分からぬことが多かった。そこで彼は天明四年の七月に登山をこころみた。この旅行で彼は駒ガ岳一帯の気象や自然に対する知識をもつことができた。

郡代在職五年、ある日彼は普請奉行原市郎右衛門と論争した。郡代の下に専属する足軽はたいてい農民とたえず接触し、仕事も事務が中心となりあまり武芸にはげまない。しかも終身その職にいるために情実も起こり、汚職もある。それで専属制を止め、適当な期間ごとに人を入替えようというのが原の案であった。天山は農民に接触するものは、ながくその任にいなければ地方の実情も理解できない。交代や入替は実情に適しないとして反対した。いずれにも一理ある言い分である。論争ははてしなく三日に及んだ。原はこの時天山が藩命により三百目玉筒を鋳造した際、残りの銅で私用の砲をつくったことをとりあげて詰問した。

論争の結果九月天山は御役御免となり、閉門を命ぜられ四〇石分の俸禄は召上げられた。一一月には蟄居となり、俸禄はすべて召上げられることになった。ただ三代勤めた功によって、天山の子俊元に新たに六〇石を与えて家を継がせ、邸も新宅に移らねばならなかった。天山と号するようになったのはこの時である。以後三年、天山は謹慎のうちに日を送った。

寛政元年(一七八九)四五歳の春、天山は蟄居を許されて隠居の身となった。ようやく彼は自由の身となった。そこで九年、大坂の坂本氏の本家の養子に、三男の鉉之助が迎えられることになった機会に、彼ははじめて西国へ旅立った。天山の大坂に来たのを聞いて、各地の藩から砲術の教授を求めるものも多かった。八月天山は京都に入りここで彦根藩の藩士に砲術を教え、また珍しい書物や城、兵器なども熱心に調べ歩いた。有名な鉄砲鍛冶国友一派の住む近江の国友村もたずねている。彦根、京都、大坂を往来するうちに、彼はしだいに京坂の名士と親しむようになった。僧海量、天文学の麻田剛立、間重富、儒学者の篠崎三島、小竹父子、木村蒹葭堂などとの交友はこの時にはじまった。彼は古書にも深い興味をもち、各地の古書について比較考究することも好んだ。手紙のなかで彼は「十一屋五郎兵衛（間重富）、天学バカリハ此土ノ豪傑麻田よりも漢学ノ力有之、博渉ノ所ハ格段ニ候、天象ヲ測識スル事ハ麻田も天授之有之人也」と書いて間の学識に敬服している。

寛政一〇年（一七九八）の一二月には紀州旅行を試み、熊野で年を越した。一一年の正月には那智、熊野、新宮などをめぐったが、その間もいわゆる熊野水軍に興味を向けた。また太地付近の捕鯨が手で銛を打っているのをみて、大砲で打てばさらに効率がよいと批評している。ここの帰途には伊勢の松阪に出て本居宣長に会おうとしたが、宣長不在で志を果たさなかった。

この関西旅行は天山に深刻な印象を与えた。山間の小藩に住みつき、それ以外は江戸を二回みたばかりである。そして今現実に体験した西国はこれまた別世界である。「京大坂両地に居りて見候へば、貴賤貧福共それぞれに産業之有、いかなる愚昧無能の徒も相応に通財の道之有候て、繁昌なることに候、国もとの事思出候へば、不自由、窮屈、よく今まで暮し候事と存じ候……」と彼はその感想を書いた。この自由さ、また書物のゆたかさ、学問文芸の盛大さ、しかも天山には砲術の弟子もふえて生活も安定した。もうあの不自由、窮屈の生活に戻る気はない。　彼はそこで再度京坂に出る決心を固めて、寛政一一年七月、一旦高遠に帰った。

しかし天山の才能をみとめた藩は、彼を逃そうとはしなかった。三人扶持、砲術師範の役である。天山は固く辞し、再び西国に赴こうとする決意をひるがえさなかった。そこで藩も三人扶持のまま、彼の西国行を許可したのである。このころ高遠侯は大坂加番として大坂勤務であった。天山の名はしだいに知られ、高禄で彼を招こうとする藩もあるとの噂も強かった。高遠藩もこれを惜しんで、三人扶持によって天山を逃すまいとしたのである。

一二年、五六歳で天山はふたたび大坂へ出て塾を開き、学問、砲術を教えるとともに自分も好む学問を進めた。一一月には大坂の一木棉商人の世話で瀬戸内海を海路長州に赴いた。翌年は享和元年。天山は三月まで三田尻に滞在しここでも入門する者は多かった。四月には長崎に旅行した。彼はここでまたも異質の世界にめぐりあった。長崎の通詞たちは、子供のころから中国音で漢文を読む。そのさまは中国人と変わらない。天山はすぐさま通詞について、中国語の練習をはじめ、また渡来した多くの珍しい書物を見ることに多忙だった。長崎では向井氏が代々輸入される書物の検査に当たっている。天山は当時の向井元仲とも親しくなり、検査にも内々で手伝いに出て新着の中国書に目をさらしていた。また元木庄左衛門からは多くのオランダ書を見せられ、その訳を聞いた。「外国モ皆日本先輩ノスル所ト同ジ位之事ニテ一ツモ奇特ナル事未ダ出デズ候、尚此上追々吟味スルハズ也」と天山は書いている。

「誠ニ日本第一之自由之地也」とは、天山の長崎における感想だった。この地は京坂以上にめぐまれた研究勉学の地である。天山は鉉之助もここへ連れて学ばせねばならぬと考えついた。

彼はすぐに長崎を出発し一〇月大坂に戻った。坂本の本家に入って相談の結果、大坂にあること三日で、一一歳の鉉之助を伴って天山はまたもや長崎に向かった。「此時を失い候ては一生の修行時を失い候事に付……」と天山は急いだ。長崎着は一二月、すぐに鉉之助は通詞について中国語を学びはじめた。

しかし彼に砲術の教授を求める者もあとをたたなかった。平戸藩、大村藩があいついで天山を迎える。享和二年（一八〇二）、九月、天山は平戸に行って砲術訓練をした。一〇月半ばには大村で、またつづいて平戸へと、砲隊の訓練のほかに銃砲の製作、火薬の製造などについても彼は指導をつづけたのである。

しかしこの年の夏ごろから頑健な天山の身体にも衰えがみえはじめた。享和三年正月、平戸藩は彼を長崎に移して名医に診せようとしたが、ついに効なく、二月二九日、五九歳でその多忙な生涯を終わった。天山は進取の人であった。いつもはげしいばかりに新しい道を求めていた。砲術という技術も、彼の道のなかでは統一されねばならなかった。しかし彼が西国で長崎で知った新しい自由な世界のなかで得たもの、「易」に代わるものが、砲術のなかで統一される日はついに来なかったのである。

農業技術の変革者
——宮崎安貞・大蔵永常——

宮崎安貞

元禄一〇年（一六九七）に刊行された『農業全書』は、江戸期の農書の代表として今でも有名である。しかもこの書は江戸期を通じて農書のベストセラーであっただけではなく、明治以後も新しく印刷され出版されている。そこで元禄以後から明治に至る大部分の農書は、ほとんどが『農業全書』の影響を受けたものということができよう。

著者は宮崎安貞（やすさだ）、広島藩士宮崎儀右衛門の二男であったが、早くから浪人して筑前の黒田忠之に二〇〇石の禄高で仕官した。この時貝原益軒とめぐりあったのである。しかしまたもや浪人して諸国を巡遊する旅をつづけた。しかしそれは九州、山陽、近畿と西日本に限られた。

彼はそののちふたたび福岡に戻った。そして福岡の西、三里の地にある糸島郡の女原（みょうばる）に帰農して、彼が各地で得た農業上の知識を実際に適用し実験しようとした。益軒は時折この村をたずねて安貞の農業改良の実状を見たのであった。

安貞は実際の農業に努力するとともに、彼のライフワークとして『農業全書』の執筆を開始した。そのためにはまず中国の農書の研究に手をつけるべきだと彼は考えた。彼はそこでまず明代の農書として有名な徐光啓(じょこうけい)の『農政全書』の研究をはじめた。しかしこれは中国農書の読解を指導した貝原益軒のプランだったかもしれない。益軒自身はまず『本草綱目』の研究をすませ、そののち長い時間をかけて『大和本草』を完成した。安貞が『農政全書』の研究をすませて、そののち長期にわたって『農業全書』を書きあげたことと、あまりにそのコースは似ている。安貞の研究法は、益軒のそれともいえるようである。

しかもその全体の体系も『農業全書』と『大和本草』には似たところがあることもこの推測を裏づける。

『農業全書』挿絵

『農業全書』は四〇年の日時をついやして書かれた一〇巻の大作であった。その序文を安貞は出版の前年の九年に書いている。彼はそこで近代、飢饉の多いことは農業技術のおくれによることが多いことを指摘した。そして農業といえどもよく技術を知らねば効果は上がらぬとする。
また日本は気候も地勢も適当な地である。だから国産品を奨励すれば、南方産の香料数種以外はほぼ自給でき、無用の物の輸入を防ぐことができようと考える。彼はいう。

「我村里に住する事、すでに四十年、みずから心力を尽し、手足を労して農事をいとなみ、試み知る事多し、ここを以て常に農民の稼穡の方にうとき事を歎き、我愚蒙を忘れて、種植の書をあらわして民と共に是によらん事をおもひ、唐の農書を考へ、本邦の土宜に随ひ、農功の助となるべき事を撰び、或は畿内諸国に遊観し、広く老圃老農に詢ひ謀り、草稿を集めて十巻とし、農業全書と名付侍る」（自序）

ここで唐の農書というのはさきに記した『農政全書』であり、そのほか『本草綱目』、『食物本草』の類も参考にしたらしい。なかには北魏の古農書として知られる『斉民要術』によった文もみられるが『農政全書』はまた多くの『斉民要術』を引用しているので、『斉民要術』の知識は『農政全書』を通じてのものであったと思われる。そのために『農業全書』には、まったく自然条件の異なる中国での農法と、安貞が実際に見聞し、あるいは体験したものとが混在し、かえってその価値を減ずることになった。これらは貝原益軒の補筆のためとも考えられる。安貞の序文でも「ここにおゐて我故人貝原益軒翁に、此書を改正せん事をこふ……翁辞することあたはずして、わが求に応じぬ」とあることからも推定されることである。また付録として益軒の兄、楽軒が儒教の上からみた農業論を展開しているが、そこにも校閲、訂正のことがある。『農業全書』の中国的な部分は、この貝原兄弟によって導入されたのであろう。

安貞は全書のなかで一四八種の作物について述べた。しかしその中心は野菜と商品作物に置かれていた。江戸期の農業先進地であった西日本での経験からの帰納としては、当然のことであった。それでもイネは最初に置かれ、イネに雌雄の区別のあることが記される。これはもちろん誤りだが、江戸期にはひろく信じられた考えだった。しかし農具についての関心は、のちの大蔵永常(おおくらながつね)よりはるかに低い。イネにつづいて以下多くの有用作物について記述してゆくが、『農政全書』をそのまま記したような部分もかなりに多い。

安貞の農業観は貝原兄弟の影響を受けてか、きわめて儒教的であった。付録で楽軒は「農業は……是則天下国家を治る政事の始にして、殊に人間世の生養をなす本なり」といい、安貞は序文で「農業の術は人を養うの本なり、農術くはしからざれば、五穀すくなくして、人民生養をとぐる事なし」とまったく同様の思想を記したのであった。

そこで農は人倫の道に対応する実の業、天業となる。五穀は人間を養う最高の宝であった。そのため五穀がもし不作となった時には、すぐに補いとなる救荒作物も考えておく必要があった。政治秩序を維持し、儒教の道徳によって人民を治めてゆく為政者の立場からみる農業であった。けれども元禄期はすでに商品経済がしだいに都市を中心として成長しつつある時代であった。農業はもはや単純な自給経済だけに頼ってはゆけなくなりつつあった。そのため安貞もイネを第一に置きながらも、多くの商品作物について記述する要があった。「厚利ある」物、「市町に出す」物、「利分勝るる」物の栽培をも同時に勧める必要があった。それは自給的な農業経済が、徐々に商品経済に移ってゆく過渡期の状況を反映したものだった。

しかし技術面では彼はまだ農具よりも、人間の手間を尽くすことを重視した。「手入を尽すにあらざれば過分の利を得る事難し、凡て土地の力と人の力と、ともに尽さざれば利潤なしとしるべし」と彼は説いた。ところが後の大蔵永常は、

「農業は国家第一の急務にして忽せにすべからざる者也、因て予此年月耳に聞、目に見し便利なる農具を撰次し、世に公行し普く万民の労を省き広大なる国恩の万一をも報ぜん事を思ふ事、ここに年有」(『農具便利論』)

といっている。農具は労を省く便利なものでなければならぬとする永常の考えは、手間をかけるとの安貞の考えに比べて、新しい時代の匂いが感じられよう。

『農業全書』の完成、出版をみた元禄一〇年の同じ年、安貞は彼が農業に専心していた地、

筑前の女原で歿した。七五歳であった。

大蔵永常

大蔵永常は豊後国の日田の農家に生まれた。明和五年（一七六八）のことである。父は伊助、永常は四番目で徳兵衛といった。江戸期の農家では、長男が家のあとをついで農業をいとなむほかは、次男以下はたいてい奉公に出てやがて商人や職人になるのがふつうだった。永常の場合も同じことであった。彼は少年のころから、日田の鍋屋という蠟問屋に奉公することになった。このハゼは木蠟の原料。九州の北部、筑後川の沿岸には今もハゼが多く秋にはうつくしい紅葉となる。このハゼは木蠟の原料。永常もまた木蠟屋に奉公したわけである。

永常は農家生まれにめずらしく学問好きだった。彼は幼い時に早くも寺小屋へ通って学ぼうとした。しかし父親は永常を戒めた。学問するのはよい。しかし百姓は純朴質実で農業にいそしめばよい。これが百姓の善というものだ。百姓の子に学問はいらぬ。しかもこれまでの読書ずきの者を見ていると、たいてい高尚になりすぎ、その身分に安んじておれなくなって、家業をやめてしまうことが多い。だからお前は決して読書などしてはならない。

しかし永常はどうしても止める気になれず、こっそりと寺小屋で勉強しつづけた。そこで父はまた寺小屋へ出かけてきて言った。自分の子にはもうかまってくださるな。永常ももうどうにもならなくなった。彼は決心した。学者になれぬならせめて農業にくわしくなってやろう。平凡な百姓で終わることは、自分にはとてもできない。

永常には幼い時からこうしたひそかな望みがあった。蠟問屋の奉公人として一生をすごすことには耐えられないものがあった。彼はついに日田を出た。ハゼから蠟をしぼり製造する技術を彼はすでに身につけていた。ついで彼は当時独占的に砂糖を製造していた薩摩に、ひそかに入ったのであった。薩摩では砂糖製造の技術は厳重な秘密となっていた。しかし永常はようやくその方法を探知することに成功した。製造用の道具の図もできあがった。そこで彼は九州各地を旅行しながら、サトウキビの栽培や製糖法を教えてまわったのだった。そして最後に長崎から船で大坂へ向かった。しかしその間にも農民の常食として、甘藷の重要なことに注意をおこたらなかった。彼は当時二九歳であった。

同船したものに大坂の眼鏡屋がいた。永常は自分が砂糖の製法を知っていることを語った。すると眼鏡屋は讃岐でサトウキビは作ったが製糖法が分からぬので困っている。そこへ行ってみよと勧めた。永常はそこで多度津で下船したが、めざす相手は折あしく不在だった。永常はやむを得ずふたたび乗船して大坂へ着いた。大坂で永常が誰のところを頼って出てきたかはよく判っていない。

けれどもハゼによる蠟、砂糖と永常は一個の技術者となっていた。そのころ中国からの輸入の白砂糖が一時激減して、京、大坂、江戸と、三都の菓子屋の餡は製造が困難になってしまった。そこで永常は虎屋という砂糖商に、黒糖を白糖にする方法を売りこむことに成功した。このことを聞いて、しだいに永常に製糖法をたずねに来る者もふえてきた。

そのころ彼はまた苗木の販売をはじめた。そのために大坂近郊の農村を歩いて、各種の苗や苗木を仕入れたが、その時も地方それぞれの独特の農法や農具に注意し、メモを残すことを忘れなかった。苗ばかりでなく農具も売りさばくこともあった。

学者となれないならば農家の利益を計る人となろうとする、幼少以来の永常の希望はこの間にも着々と進められていた。享和二年（一八〇二）、彼の最初の著作である『農家益』三巻が出版され、彼はそのなかで日田で親しんだハゼの栽培と蠟の製法を公開した。ただしその栽培の部分は、これより五〇余年前に出た筑前の高橋善蔵の著『窮民夜光珠』に大部分よったものであった。彼の本旨は農家が富むことによって、はじめて藩経済は安定するとの考えだった。そのためには農家は単に食糧の生産ばかりでなく、新しい工業用作物も生産しなければならぬ。その第一として彼はハゼを勧めたのである。もちろんハゼはそれ以前からかなりひろく栽培されている。しかしそれも封建社会の閉ざされた小さな世界で、ばらばらに行なわれていたにすぎなかった。ところが永常はハゼ—蠟の一貫した栽培と製造をくわしく公開したのである。ハゼはこの書によって農家の有用作物としてひろく知られるようになった。

『農家益』の正編三巻が刊行されてから八年、文化七年には『後編』が出版された。それはハゼ栽培の新技術を伝えるもので、苗木の選び方、接木の方法などについて新しい見解を記した。接木では大坂の蘭学者橋本宗吉をたずねて西洋の解剖生理について質問してその理を用いたという。とにかく熱心に新しい知識を求めつづけてこの後編は成立したのである。のちの嘉永七年（一八五四）にはさらに『続編』二巻が刊行されてこんどはハゼの品種について解説したのであった。

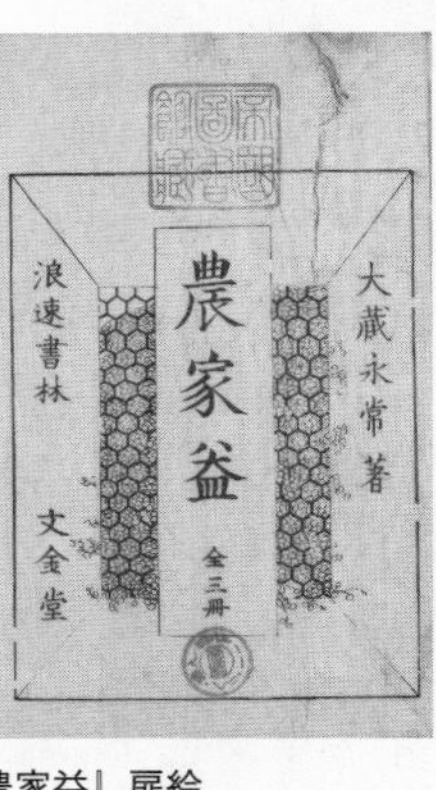

『農家益』扉絵

文化七年（一八一〇）、永常四三歳の時、彼は一五年住んだ大坂を去って江戸に向かった。江戸に入った彼は根岸に住み文人たちとも交友した。同時に彼は関東の各地を旅行して農具や塩田、イネやサトウキビの栽培について調査した。しかし六年目の文化一二年に、永常はふたたび大坂に戻り、さらに北陸地方に足をのばした。ついで吉野、十津川、紀州と旅行し尾鷲（おわせ）にまで出て、農業技術の多くを調べることができた。これらのデータによって文政五年（一八二二）に刊行された『農具便利論』が生まれた。

これは従来にない傑作であった。それまでの多くの農書のかかげる農具の図は、中国の書などからそのまま写したものが多く、実際の日本の農具からの写生はまるでなかった。ところが永常は、当時使用されている各地の農具についてその形や寸法、使用法、耐用年数また名称、地方名などもくわしく記したのである。鍬ひとつについても各地の変わり形二九種の図があり、三〇里も離れると農具の形が変わり、鍬は三里もへだたると変わるといっている。しかも値段が時には付記されているのも、農家の経済にたえず注意する永常の心くばりがみられよう、その記述はたとえば、

「摂州尼崎辺のねば土に用るくわ、性強きねば土には柄くぐみたる方利方なるべし、代銀六匁より七匁」

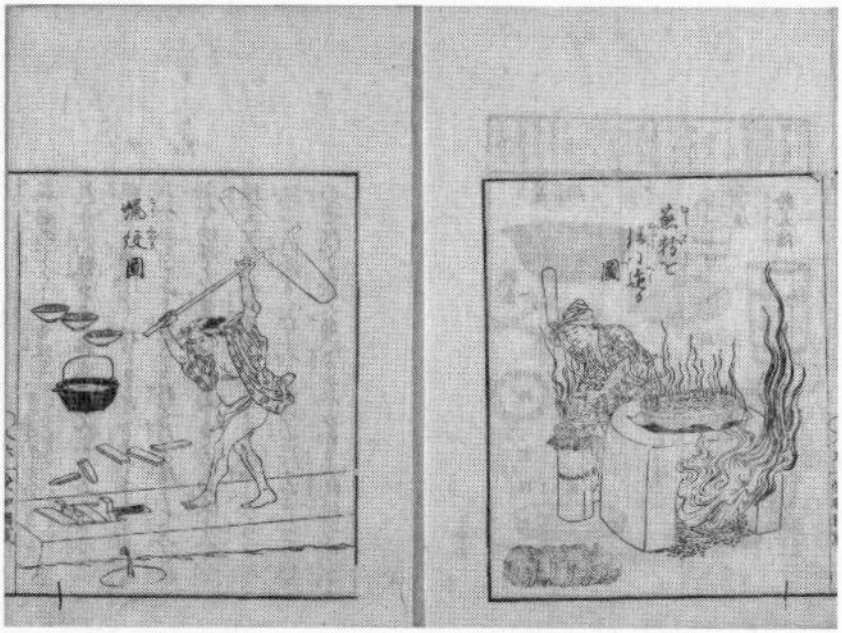

というタイプで図がこれにつけられていた。そのほか備中グワやスキ、地ナラシからカラスキ、肥桶の類に至るまでその記載は驚くほどくわしい。最後には灌漑用具、揚水器、高砂の工楽松右衛門の考案した各種の工作船を図解し説明している。松右衛門は織物による帆（松右衛門帆）の創始者として知られるが、永常はその略伝と発明した土木用の工具について説いている。

『農具便利論』の一特徴は最後に「農具取次扇屋重兵衛」の名をもって、堺から大坂にかけて製作され

『農家益』の挿絵

る農具の値段の一覧表があることだ。彼はこの扇屋からはサンプルのみを購入し、それによって土地の鍛冶屋で打たせればよいとまで注意する。また凡例のところでは、読者が新しく付加したがよいと思うものは、図を出版元の河内屋へ送ってほしいことをも述べている。徹底した実用性と読者との交流を強く意識していることなど、まことにすぐれた異色ある農具図説といわねばなるまい。

文政八年（一八二五）永常はふたたび江戸に出た。そのころの彼は、もう商人ではなく農業関係の著述家として知られるようになっていた。彼のもとへ新しい農業政策を質問に来る、各藩の人びとも日ましにふえた。その間も大坂へ戻ったりして、著述の材料を集めていった。彼はまた関東の水田地帯にナタネを栽培する計画をもった。ナタネの油は灯火用、食用として人びとの生活必需品であり、同時に有力な商品である。彼は西日本に比べて東日本の開発のおくれていることに、早くから気づいていた。ナタネの栽培は東日本開発の重要な手段と考えたのである。けれどもその考えはなかなか実現されなかった。文政九年には『除蝗録』が出た。イネの大害虫ウンカの駆除のために鯨油をながすことを述べたものである。呪術的にしか害虫を追えなかった時代の科学的方法として注目されることであった。

単なる農学者でなくハゼやサトウキビについてはすぐれた技術者であった永常を求める声は多かったが、また百姓上がりの彼の立身を妨げる者も多かった。けれども幕末の知識人として著名な渡辺崋山が家老として在職していた、三河の田原藩はついに永常を招いた。天保五年（一八三四）九月のことである。彼ははや六七歳となっていた。この時彼は日田喜太夫と称した。田原藩は一万二千石の小藩、その財政は極度に行きづまっていた。この現状を打開するための農業政策のプランナーとして、永常は招請されたのである。

彼はまずイネの栽培技術の改良に着手し、それとともに永常が当初から力説してきた商品作物の栽培と、江戸期の農村の宿命であった飢饉対策をたてようとした。そのために『門田之栄』を書いてイネ栽培を論じ、農家経済の改善をすすめ、つぎにはハゼやコウゾ、イ、サトウキビの栽培、さらにこれらによる製蠟、製紙、ござ製造、製糖、土焼人形などの手工業を立案したのだった。これらの農村工業は一応の成果をあげ、製紙や土焼人形は、明治の初めには困窮した士族たちを救うのにかなりの力があったといわれる。ことに砂糖はかなりの成功をみた。しかし天保一〇年（一八三九）渡辺崋山が高野長英とともに、海防問題のために処罰されることになると、永常もまた田原藩を離れなければならなくなった。

田原を去った永常はそのまま同じ三河の岡崎に住んだ。しかしすぐ浜松藩主の老中水野忠邦が彼に着目して、藩の興産方として召し抱えられることになった。しかし事はなかなか進まず、ようやく彼の正式赴任となったのは天保一三年の一〇月のことだった。永常すでに七五歳の老境である。しかし浜松に落ちついてわずかに三年、弘化二年にまたも浜松藩の水野氏はその本領をけずられることになって、永常の行先はなくなってしまった。彼は不安な前途についてふたたび考えねばならないはめになった。

最後の意を決した彼は弘化三年（一八四六）、ついに江戸に出た。妻はすでに浜松で歿していた。孤独の彼は江戸に出たのちは、ひきつづいて農業関係の著述に没頭する。しかしその身辺には江戸の文人や名士たちが集まって、必ずしも寂しいものではなかったようである。彼は九〇歳をこえる長寿を保った。しかしその歿年はいまだに明らかではないが、安政年間とされている。

永常は多くの農業関係の著作をのこした。さきに記したもの以外のものには、

老農茶話（文化元）　　豊稼録（文化七）
耕作便覧（文化七）　　再種方（文政七）
再板豊稼録（文政九）　　農稼肥培論（文政九）
製葛録（文政一一）　　油菜録（文政一二）
農稼業事後編（文政一三）　　綿圃要務（天保四）
農家心得草（天保五）　　救荒必覧（天保七）
製油録（天保七）　　広益国産考（弘化元）

などがある。この多量の著作のなかで、彼の論を集大成したものは、最後の『広益国産考』であった。永常は当時七七歳、その全部が完結したのは九二歳のことであった。

永常の農学体系は、いつも商品作物あるいは製造加工業に重点を置いたことを特徴とする。たとえば『広益国産考』においても彼は、単なる食用作物にとどまらず砂糖、茶、煙草から紅花などの染料、製紙、製油、ひな人形、醬油などの栽培と製造法を詳述した。それは幕末期の日本の農業経済の変動にまさしく対応するものだった。イネとムギを中心作物とし、自給経済を本質としていた日本の農村に対して、多様な商品作物を栽培体系に加え、同時に農家の現金収入を計って、貨幣経済の体系に編入されつつある農家の体質を改善しようとするのが永常の農学なのであった。

これはまた当時の諸藩がひとしくとろうとした経済政策でもあった。米麦中心の経済のためにむやみにイネの作付を増すことは、江戸中期以降の商品経済の発展にはもはや時代おくれの方策であった。これに対する新技術と新政策が永常の抱負だったのである。九州の対馬藩はわずか二万石の小藩であったが、朝鮮ニンジンその他の独占的な品物を産したために、実収は二〇万石といわれた。また北海道の松前藩はこれまた七千石の小禄だったが、北方の産物を独占するために五万石を下らぬ実収をもっていた。どれも商品経済の機構に、たくみにマッチした例である。渡辺崋山が永常の技術を導入して、小藩の経済的苦況を切りぬけようとしたのは当然だろう。

永常の著作はこうした時代の要請にみごとに応えたものだった。しかも彼の論は為政者あるいは支配者としての武士に対する政策論ではなく、現実に働く農民を対象とする技術書であり指導書であった。現実の農家経済を向上させるための実用の書であった。肥料の役割を重視し、害虫の駆除についても合理的な方法を指示し、農具の重要さに着目して詳細な調査をとげ、さらにその使用法や価格までも留意したところは、すべて農民から出発した彼の技術思想の現われであった。明治期になって後も彼の著書が出版されたことは、実用性を明らかにしめすものだったのである。農家経済に商品生産という重要な項目を加えた彼の体系は、今日にもなお意味をもつものではないか。

科学者小伝

安島直円（あじまなおのぶ）　元文四（一七三九）―寛政一〇（一七九八）　出羽国、新庄藩士。江戸に生まれて関流の数学を修め、山路主住（ぬしずみ）の門下だった。直円の研究はひとつも出版されず、すべて原稿のままであったが、その論文は四〇余篇もあった。彼は円理の研究をさらに深め積分の思想にまで進んだ。また二項級数の展開の一般化にも成功し、対数表の研究は十二桁の対数を計算するところまでに進んでいた。

和田寧（わだやすし）　天明七（一七八七）―天保一一（一八四〇）　呼名は豊之進、算学あるいは円象と号した。播磨国三日月の武家に生まれ、香山直五郎政明といった。師は日下誡、関流である。のち江戸の芝の増上寺の寺侍となり、京都の暦学の宗家土御門家の算学棟梁にもなった。しかし家は貧しく数学を教えるほか、書道や易の先生で暮らさねばならなかった。円理豁術を発見したがそれは積分法と同じものである。また種々な曲線を研究し、二項定理、極大極小にもすぐれた研究をのこした。

青木昆陽（あおきこんよう）　元禄一一（一六九八）―明和六（一七六九）　江戸の日本橋の魚問屋、佃屋に生まれた。名は敦書、呼名は文蔵である。学問好きだったため家業をつがず、京都に出て伊藤東涯に学んだ。のち江戸に戻って塾を開いたが、そのうちに父母を失い六年の喪に服した。この行ないが知られて大岡越前守忠相に認められた。彼はそのとき飢饉の時の有用な食物としてかねてから着眼していたサツマイモについて『蕃薯考』を書いて提出した。これによってサツマイモの栽培が救荒用として普及するようになった。彼はやがて幕府に召され御書物奉行すなわち今日の司書官にまでなった。彼は江戸城の文庫に多くのオランダ書のあるのを知り、これを読解して国益を増すことを望み、ついにオランダ語学習の許可を将軍吉宗から受けることができた。これによって昆陽と野呂元丈（のろげんじょう）は最初の江戸の蘭学者となった。彼の『和蘭話訳』は寛保三年に完成した。そのほか『和蘭文字畧考』（三巻）がある。

松岡玄達（まつおかげんたつ）　寛文八（一六六八）—延享三（一七四六）　京都の人、怡顔斎、恕庵と号した。山崎闇斎や伊藤仁斎に儒学を学んだが、中国書中の動植物に興味を感じ、稲生若水について本草をさらに学んで、ついに若水門下の第一人者となった。塾では『本草綱目』をテキストとして講義を開き、一方『用薬須知』『食療正要』『桜品』などの多くの著書を著わした。彼は特に動植物の品類を明らかにしようとし、そのほかにも梅、蘭、竹、菌、苔、介などの品類について論じたものが多い。これは当時園芸が盛んとなって多くの品種が作りだされ、それらの種類を記録することが盛んとなったことに相応ずるものでもあった。彼も図を用いて実物をしめしたが、図はあまりたくみではない。しかし師若水時代の薬物学としての記載から、しだいに博物学となってゆく傾向は、玄達によって一層明白となった。

岩崎常正（いわさきつねまさ）　天明六（一七八六）—天保一三（一八四二）　江戸幕府の下級武士の子である。呼名は源蔵、号は灌園。二三歳から幕府に出仕して父の跡をついだが病のため辞職した。少年のころから植物、ことに薬草に興味をもった。自宅には多くの植物を栽培し、各地に旅行して植物を採集することも多かった。そのうちに庭園もあまりに多くの植物のためせまくなったので、幕府から小石川に土地を借用して、さらに栽培をつづけた。彼は園を管理するとともに本草を講義し、文政一一年からは毎月一回本草会を開き、のちには二回に増した。彼は多くの植物書を残したが、特に植物の写生にたくみだったので、みごとな図譜がつくられている。すなわち九六巻に及ぶ『本草図譜』で、文化初年からはじめて文政一一年に完成した。日本産植物二千余種がふくまれており、江戸期の植物分類学上の一大著作とされている。

木内石亭（きうちせきてい）　享保九（一七二四）—文化五（一八〇八）　木内家は近江国栗太郡山田村にあり、膳所（ぜぜ）藩の代官をつとめる豪家であった。彼の名は重暁、呼名は小繁。幼い時から石を集めるのが好きであったが、当時はまた全国的に石ブームで、珍石奇石のコレクターが多かった。
石亭はひまさえあれば各地を熱心に旅行して石を採集し、また人びとに依頼したりコレクターと交換したりして石を収集した。ついに彼の収集は二千余種という多量となり、石鏃のみでも一千もあったという。彼はこの収集にもとづいて一八冊もある大著、『雲根志』を著わした。石に関するあらゆる話を集めたものである。こうした収集と著述はしぜん彼を考古学的な見解にみちびいた。たとえばまが玉の研究も、図を入れたり、琉球に残る土俗品と比べたり、共存して発掘されたものに注意したなどの態度はきわめて近代的であった。

山脇東洋（やまわきとうよう）　宝永二（一七〇五）―宝暦一二（一七六二）　丹波国亀山の医師清水東軒の家に生まれたが、のちに宮廷の医官山脇玄修の養子となった。名は尚徳、二三歳の時養父の跡をついで法眼となった。彼は唐、宋以後の中国医学を排して、漢の張仲景の説を復興する古医方学派をとった。しかし彼は中国医学の説をそのまま信ずることができず、同じく古医方の大家後藤艮山の勧めのままに、カワウソを解剖して構造を調べたが、さらに人体の実際について調べたいと考えるようになった。宝暦四年、京都で死刑があったのでその死体を許可を得て解剖し『蔵志』によってその観察を発表した。つづいて八年に年二回の解剖が行なわれた。東洋は「親試実験」を重んじた。書物に書かれたことは、実際のものと対照して考えること。この素朴な実験精神が医学の面で活動しはじめたのは、東洋をもって最初とする。

吉益東洞（よしますとうどう）　元禄一五（一七〇二）―安永二（一七七三）　広島生まれ、名は為則、呼名は周助、家は医師であった。平和な世に名をあげるには医学に専心するより方法はないと熱心に勉学し、三七歳の時に家族とともに京都に出た。しかし認めるものはなく貧苦のうちに日を送った。たまたま一病人の家で山脇東洋に会い、処方について述べて東洋に認められ、ようやく医師として立つことができた。四五歳の時である。彼は唐、宋以後の中国医学を斥けて漢代の古医学による古医方をとり、有名な「万病一毒説」をたてた。すべての病気は毒の動くによって起こる。薬もまた一種の毒物であり、治療とは毒をもって毒を攻めることで、毒が去れば病気は癒える、との考えであった。彼はまた中国の多くの薬の処方のなかから、有効なものをすすめて『類聚方』などの便利なものも編集し、名医の名が高かった。彼の号は東洞院通に住んでいたからという。

華岡青洲（はなおかせいしゅう）　宝暦一〇（一七六〇）―天保六（一八三五）　紀伊国、那賀郡の人。名は震、呼名は随賢、家は医師であった。京都に出て吉益南涯について医学を修め、さらに大和見立から外科を学んだ。見立はオランダのカスパル流外科の流れをくんだ人である。青洲はこの時からオランダ医学に眼を向けた。やがて故郷に帰って医師となったが、漢方、オランダ両者をたくみに折中し、外科手術はみごとなものであった。その弟子は千人といわれた。文久二年、紀州侯の医官となった。常に内外合一、活物究理をモットーとした。彼の手術はこれまでにない大胆のものであったが、施術の時に麻沸湯といわれる麻酔剤を用いたことで有名である。それはチョウセンアサガオを主体とするものであった。彼はそのほかにも多くの新手術や治療法を発明し、華岡流外科の祖といわれた。門下で著名なのは本間棗軒である。

大槻玄沢（おおつきげんたく）　宝暦七（一七五七）―文政一〇（一八二七）　名は茂質（しげかた）、号は磐水であった。陸中の磐井川のほとりの中里生まれなのでこの号がある。父は玄梁、オランダ流をもって開業していたが、やがて一関藩の医官となった。一三歳の時彼は建部清庵の塾の学僕となり勉学をはじめた。清庵もオランダ流の医師だったが、彼は自分の知るオランダ流に疑問をもち、門人に託して杉田玄白に質問した。玄白は東北の田舎にこのように熱心な研究者のいることを知り、以後清庵と玄白は親しく文通するようになった。この交友によって玄沢もまた江戸で杉田に入門する伝手を得た。二二歳の玄沢の才能は直ちに玄白のみとめる処となり、さらに前野良沢に入門することができた。彼の号玄沢は二人の恩師の一字をとって組合せたものである。五年の修業の後玄沢は一時帰国したが、やがて江戸詰となって再び江戸に来てオランダ語を研究し『蘭学階梯』を書いた。日本最初の文法書である。

オランダ語にすぐれた彼は、杉田玄白の訳した『解体新書』の誤りを正して『重訂解体新書』を書き、そのほか『瘍医新書』『六物新志』など多くの書を著わして啓蒙につとめた。また寛政六年の閏一一月一一日は、太陽暦一七九四年の一月一日に相当するので、蘭学者の多くが玄沢の家に集まって正月の祝宴を開き新元会と称した。いわゆるオランダ正月である。その塾は芝蘭堂といい、橋本宗吉、宇田川玄真、小石元瑞、山村才助らが出た。

坪井信道（つぼいしんどう） 寛政七（一七九五）―嘉永元（一八四八） 彼は美濃の池田郡脛永（はぎなが）に生まれたが一〇歳で父を失った。一二歳にはつづいて母を失い孤児となってしまった。彼の兄は近江長浜の住職であったが、ともに江戸に出て、医師の家の下男として働かねばならなかった。そののちも彼は尾張や中津、筑前、肥前などの医師や儒学者の家を手伝って流浪しつづけたのである。彼が宇田川榛斎の『医範提綱』によって西洋医学のことを知ったのは、中津の辛島（からしま）成庵の家においてであった。信道はこの時から西洋医学を志した。それからも苦難の日がつづいたが、二六歳の時江戸に出て宇田川榛斎のところに入門することができた。しかし貧しさは変わらずあんまでどうやら生計をたてる有様であった。しかしこの苦労ぶりと才能を見込んだ榛斎が、食客として家に置いてくれたため、ようやく生活の不安がなくなった。やがて開業医となり、毛利侯から三百石を与えられる身分となって江戸の西洋医の中心人物とまでなったのだ。その塾日習堂からは緒方洪庵、川本幸民、広瀬元恭らが出た。

岡研介（おかけんかい）　寛政一一（一七九九）―天保一〇（一八三九）　父の泰純は京都に住んで眼科医として有名で法眼の位を授けられた。研介はその第五子である。やはり医学を修めて長州の萩で開業したが蘭学に興味をもち、そのためにはまず漢学が必要と、広瀬淡窓、亀井昭陽などについて儒学を学んだ。ついでシーボルトのもとに赴いて蘭学を学んだ。そのすぐれた才能は高野長英と並称され、美馬（みま）順三とともに鳴滝塾の塾長となった。研介は漢蘭ともにすぐれることで有名だった。江戸に出ようとしたが、何故か大坂にとどまって医業を開いてしまった。友人たちはみなこれを惜しみ、ことに江戸蘭学の中心人物の一人だった坪井信道なども、しきりに江戸へ来ることをすすめたが、ついに動かずその才を惜しまれつつ四一歳のみじかい生涯を終わった。

楢林栄建（ならばやしえいけん）　享和元（一八〇一）―明治八（一八七五）　楢林家はもと通詞の家がらであったが、元禄年間オランダ医師ホフマンから教えられた外科術によって、オランダ流の楢林流外科を業とする家となった。栄建はその五世である。シーボルトが長崎に渡来すると、彼も弟宗建とともにその教えを受け、シーボルトが出島の外で治療する時は楢林家を利用した。しかしシーボルト事件ののちは家を弟にゆずり京都に住んだ。彼は早くから種痘に興味をもち、天保一〇年には実験を試みたが失敗した。嘉永二年、弟から痘苗を入手したので翌年京都に有信堂と称する種痘所を設け、種痘を普及しようとした。しかし嫌うものが多く、わざわざ金を与えて施術するという有様だったという。弟宗建はオランダ医モーニッケから種痘法を学び、嘉永二年七月に自分の第三子ら二人に試行して成功し、これを痘の原種として痘苗をひろめた。日本での種痘の最初とされる。

土生玄碩（はぶげんせき）　宝暦一二（一七六二）―嘉永元（一八四八）　安芸の吉田で眼科医の家に生まれ

た。一七歳の時京都、大坂に出て医学を修め帰郷して家をついだ。ある時白内障を治療出来なかったことから発奮し、京都に出て再度勉学して、新しい治療法のいくつかをも発見した。文化五年には江戸に出て杉田玄白の家に宿り西洋医学も熱心に研究した。玄白の子立卿も玄碩について眼科医となった。彼のすぐれた手術はしだいに評判となり、文化七年四六歳の時には将軍の侍医となり法眼となった。文政九年、シーボルトが江戸に来た時、彼が瞳孔を開く薬ロートを知っていることが判りその教えを求めた。シーボルトはその代りとして玄碩の葵の紋服を要求したので、玄碩はこれを与えた。このことがシーボルト事件の際に発覚して玄碩も連座した。しかし玄碩の身分とその心情は幕府に同情され、永蟄居となった。表向の治療はできなかったが、弟子たちを指導しつつ八七歳の長寿を保った。

伊東玄朴（いとうげんぼく）　寛政一二（一八〇〇）―明治四（一八七一）　肥前の仁比山の農家に生まれた。名は淵、呼名は伯寿である。しかし学問への志強く、医師となろうとして一六歳から漢方を学び一九歳には、すでに開業することができた。しかし彼はそれに満足せず蘭学を学ぼうとして、二三歳の時から佐賀へ出てついで長崎で蘭学を修めることができた。しかし学資は乏しく、食事も十分でない状態であったという。やがて彼もシーボルトの門下に入り、その勉学をさらに進めることができた。文政九年、シーボルトの江戸参府には玄朴も東上し医師を開業した。ジフテリアの治療に成功して有名となり、佐賀の鍋島侯の医官となった。塾を象先堂という。安政五年、徳川家定の重病の時、はじめて西洋式の医師が幕府に採用されたが、玄朴もその選に入った。また同じ蘭医のグループと種痘所を創立したが、のちにこれは幕府立の西洋医学所となった。玄朴はその取締に任命され、以後幕府の医官として維新まで任にあった。

小関三英（おぜきさんえい）　天明七（一七八七）―天保一〇（一八三九）　出羽国鶴岡の出身。呼名は良蔵、名は好義、鶴州と号した。江戸に出て蘭学を学んでその才能を現わした。師は馬場貞由である。文政五年、仙台藩に招かれたが辞して長崎に行きさらに蘭学を学ぼうとした。途中京都で小石元瑞を訪ねたが、元瑞もその才をみとめて長崎行をすすめた。三英は長崎でシーボルト門下となったが成績は立派なものだった。文政九年、コンスブルックの内科書を訳して『泰西内科集成』と題した。やがて岸和田侯の侍医となったが、豊田貢の切支丹事件の時難をさけて江戸に赴いた。江戸では高野長英、鈴木春山、渡辺崋山らと尚歯会を結成して有力なメンバーであった。天保一〇年、高野、渡辺らがモリソン号事件、蛮社の獄で投獄されたとき自殺した。なお小石元瑞は元俊の子。元俊は『解体新書』によりオランダ医学を知り、大槻玄沢の芝蘭堂に学んではじめて関西でオランダ医学を唱えた。

二宮敬作（にのみやけいさく）　文化元（一八〇四）―文久二（一八六二）　彼の家は伊予の磯崎浦の農家だった。しかし医学を学ぼうとして一六歳で長崎に赴いた。シーボルトは二宮の才能をみとめ、鳴滝塾の学僕として長崎に滞在できるようにとりはからった。医学では外科にすぐれていたという。シーボルトの東上の時にも従者として従い、高良斎とは最も親しかった。シーボルトは深く彼を信頼し、文政一一年には気圧計を用いて富士山の高さを測らせた。彼はそのほか九州の諸山の高さも測っている。西洋式の高度測量を試みたのは彼が最初だった。そのためにシーボルト事件のときには連座して投獄された。許されてのちはシーボルトの娘おいねを保護しつつ医師を開業した。その外科手術のたくみさは定評があった。甥に三瀬周三（天保一〇〜明治一〇）がある。伊予大洲の生まれ、やはり蘭学、医学にすぐれた。明治になって大阪医学校、大学東校で医学教育に従っている。

新宮涼庭（しんぐうりょうてい）　天明七（一七八七）―安政元（一八五四）　丹後国、由良に生まれた。名は碩、鬼国山人、駆豎斎と号した。彼がはじめて蘭学に接したのは宇田川玄随の『西説内科撰要』であり、その明快な内容に興味をもった。長崎に行って吉雄如淵やオランダ医ヘールケについて熱心にオランダ医学を学んだ。文政元年、長崎を出て京都に戻り医師を開業し、オランダ医学を唱道した。彼はまた南禅寺の傍に順正書院を開いて多くのオランダ医学書を集め、弟子をあつめて西洋医学の教授にあたった。

緒方洪庵（おがたこうあん）　文化七（一八一〇）―文久三（一八六三）　備中国、足守に生まれた。一五歳で大坂に父とともに出て、中天游に蘭学を学んだ。二二歳のときに江戸の坪井信道の日習堂に入った。また宇田川榛斎の弟子でもあった。彼はさらに長崎にも行って三年間オランダ医学を学んだ。彼はやがて大坂に戻り、二九歳で医師を開業するとともに、適塾を開いたが各地から彼の名をしたって多くの弟子が集まった。そのなかには長与専斎、池田謙斎、橋本左内、大村益次郎、福沢諭吉、佐野常民など幕末、明治に活動した多くの人物があった。一方江戸では安政四年以来、種痘所の名でオランダ医学者が結集したが、万延元年から幕府に移され、文久元年に西洋医学所となった。二年に頭取の大槻俊斎が病歿したので、洪庵は大坂から召しだされて頭取となって、熱心に医学教育をすすめようとした。しかし三年六月一〇日洪庵は江戸で急逝してしまった。五四歳のことであった。

　洪庵はドイツのフーフェラントの著書を訳し『扶氏経験遺訓』と題して安政四年に刊行した。フーフェラントはドイツ第一の臨床医学者で、その五〇年の経験による著述がオランダ訳されて日本に入ったのである。洪庵の用いたのは一八三八年版、わずか二〇年で日本訳の出たことは、オランダ医学、すなわち西洋医学理解のレベルが著しく上がったことをしめすものだった。

青地林宗（あおちりんそう）　安永四（一七七五）―天保四（一八三三）　名は盈、芳滸と号した。父は松山侯の侍医で、林宗も江戸に生まれた。幼い時から医学を学び、のち京都、大坂に学んだ。文化年間、江戸に戻って馬場貞由について蘭学を学びはじめ、すぐれた才能を発揮し、ついに蘭学者として知られるようになった。彼は医学よりも物理学に興味をもち、まず『格物綜凡』を書いた。ついでこれをつづめて『気海観瀾』を刊行した。日本の西洋式の物理学はここにはじまった。文政五年からは浅草の天文台でオランダ書の翻訳をするようになり、天保三年には水戸の徳川侯の医官となり、また蘭学の教授にも当たった。地理にもすぐれ、『輿地誌畧』は、幕末の人びとの間に世界知識をひろめるのにきわめて有効であった。林宗の娘は坪井信道、川本幸民の妻である。また高野長英にも一女が嫁したともいう。

川本幸民（かわもとこうみん）　文化七（一八一〇）—明治四（一八七一）　摂津国三田に生まれた。父は九鬼侯の医官。裕軒と号した。はじめは漢方医学を修めたが、のち江戸に出て足立長雋（ちょうしゅん）の門に入って蘭学を知った。これにもすぐれた才をしめしたので、長雋は坪井信道の塾日習堂へ入らせた。幸民はさらに関西に戻り諸学者と交わったが、天保五年三田藩の医官となった。安政三年には幕府に召されて蕃書調所に入り、文久二年には幕府の役人となった。彼は物理、化学に興味をもち青地林宗の著を修正増加して『気海観瀾広義』を書き、さらに『理学原始』『舎密読本』『化学初教』など多くの啓蒙書を著わした。化学の語は彼が作ったといわれるが確証はない。またビールの醸造は彼が最初とされる。

古川古松軒（ふるかわこしょうけん）　享保一一（一七二六）—文化四（一八〇七）　備中国の新本村に生まれた。名は辰、平次兵衛と呼ばれた。非常な旅行家であるとともに、各地の実情をくわしく調査し、それをノートしておいた。また古戦場で当時の兵法や戦略を研究することにも興味をもった。

著書では『西遊雑記』『東遊雑記』『四神地名録』が有名である。最初のものは天明三年の旅行記、第二のものは天明八年、幕府の巡見使に随行して東北、奥羽から松前にまで往復した時の紀行である。また第三は寛政六年、彼が松平定信に召されて各地の事情を聞いたときにできたものだ。古松軒は各地の習俗や生産の実状にこまかな注意を払い、特殊な生活民俗には特に留意した。そのほか博物学的な観察や産物にも注意し考古学的な遺物もよく記される。今日でいえば地理学、歴史学、考古学、民俗学につながる多くの資料が、古松軒の紀行に見出されるのである。そのほかアイヌの民俗の調査もくわしい。

長久保赤水（ながくぼせきすい）　享保二（一七一七）―享和元（一八〇一）常陸国の赤浜に生まれたので赤水と号した。名は玄珠、家は農家であったが、早く父母を失い継母に育てられた。母はよく幼いころから学問好きだった赤水をかばい育てた。

彼は地理学に興味をもち宝暦年間には東北地方の調査を試みた。また明和四年には漂流漁民の受取りのために、長崎へゆく水戸藩士に従って長崎へ旅行した。安永三年には関西に出かけ京都には一年も滞在した。

これらの旅行から『東奥紀行』『長崎行役日記』が生まれた。また「新刻日本輿地路程全図」と呼ぶ日本地図がつくられた。経緯度を記入した全図はこれが最初で、伊能図ができるまではこれが唯一のものだった。しかも伊能図は出版されなかったので、赤水の地図は永い生命を保った。天明二年にはオランダ書にもとづいた世界図を出版し、つづいては「大清広輿図」を刊行し、『大日本史』の「地理志」も担当した。

鈴木春山（すずきしゅんざん）　享和元（一八〇一）―弘化三（一八四六）　三河の田原藩の医師の家に生まれた。彼は幼い時から奇行が多かった。しかし二〇歳のころから江戸へ出て儒学を修め、二二歳には長崎へ赴いて蘭学を学んだ。やがて帰国したのちふたたび江戸へ出たが、このころから洋式の砲術の研究に専念しはじめた。彼もまた同藩の渡辺崋山の処罰に連座したひとりであった。彼はことに西洋の軍事技術に興味をもち、『三兵活法』『海上攻守略説』『兵学小識』『銃陣初学鈔』などとオランダの兵学書を次々と訳した。彼は西洋の進歩した軍事力には対抗するだけの力を、日本も早く具えねばならぬと考えたのだった。そして実際に兵士を訓練し、火砲や軍艦を製造しようとした。しかしわずか四六歳で江戸で歿した。

高島四郎太夫（たかしましろだゆう）　寛政一〇（一七九八）―慶応二（一八六六）　家は長崎の町年寄で鉄砲方であった。彼の名は茂敦、号は秋帆、呼名は喜平ともいう。父四郎兵衛茂紀は天山流の砲術家で高島流といわれた。四郎太夫は一七歳で父の跡をつぎ、西洋砲術を学ぼうとした。天保三年町奉行の許可を得てオランダの銃砲を購入し、オランダ人やオランダ兵書によって西洋式の戦術を学んだ。さらに、帆船操法なども研究し、天保一一年には兵備改良の必要を上書して、江戸徳丸原で西洋式の教練と砲術を公開し、幕府も旗本たちに伝習させた。しかし西洋式に反対する保守派によって罪をかぶせられ投獄された。しかし、アメリカ軍艦の来航とともに許されて、幕府の砲術を指導することになった。また江戸湾の防衛プランをたて品川砲台も建設し、軍事の技術的指導者として活動した。

池部啓太（いけべけいた）　寛政一〇（一七九八）―明治元（一八六八）　名は春常、啓太は呼名で如泉と号した。熊本の人。父は肥後藩の天文測量の師範であった。一五歳、伊能忠敬が測量のため九州に来た時、門下として測量を学び、さらに長崎の末次忠助にも入門した。しかし家が貧しかったので、長崎に赴くことはなかったが、中国や西洋の天文暦学についての理解を深めることができた。つづいて高島秋帆の父からも天山流の砲術を学んだ。彼は当時海防論の盛んななかで、もっぱら西洋砲術の重要性を説き、秋帆とともにその砲術中の弾道学を精密化することに努力した。しかし天保一三年、秋帆が罪されるや彼も投獄されたが、獄中苦心して『割円四線表』『万動理原』を書いた。弘化三年、ようやく出獄、肥後藩は西洋科学の指導者として彼を重用した。また幕末の長崎海軍伝習所にも伝習生として派遣された。砲術、科学的な射撃術は彼によってはじめて開かれたのだった。

本多利明(ほんだとしあき) 寛保三（一七四三）—文政三（一八二〇） 越後国、蒲原郡に生まれた。呼名は長五郎、三郎右衛門ともいう。一八歳で江戸に出て今井兼庭に関流数学を学んだ。また千葉歳胤(としたね)には天文学を教えられ、剣術は山県大弐に習ったという。二四歳、江戸の音羽に数学、天文の塾を開いた。彼は熱心に勉学をつづけ、数学上では「大測表」「八位八線対数表」「三角函数表」などを作った。彼はついでオランダ科学に注意しはじめ、ボイス、ショメールなどの百科全書、地理書などに眼を通した。また北海道事情にも関心をもち、蝦夷地の開発を論じ、経済政策から航海術にまで及んだ。有名なものに『西域物語』があって西洋事情を述べた。六七歳の時加賀藩に招かれて金沢でしばらく藩士の教育に当たったが、やがて江戸に戻って歿した。彼の弟子の坂部広胖は『海路安心録』なる航海術のテキストをもって有名である。

佐久間象山(さくましょうざん) 文化八（一八一一）—元治元（一八六四） 信州の松代、真田侯の家臣一学の子。名は啓、呼名は修理。幼い時から秀才をうたわれた。二三歳の時江戸に出て佐藤一斎のもとで儒学を学んだ。しかし時代は蘭学を求めていることに気づき、黒川良安について蘭学を修めた。彼は熱心にこの新しい分野に向かい、有名なショメールの百科全書を大金を惜しまずに買い入れたりした。そしてショメールにならってガラスの製造も試みた。またドーフ・ハルマの辞書を松代藩で出版することも計画したが成功しなかった。ついで江川英竜から西洋流の砲術を学び、下曾根金三郎にも教えを受けた。のちには中津藩や松前藩のために西洋式砲の設計もした。また電信機、電気治療器なども作り、写真の実験も試みた。しかし彼の本領は政治にあった。幕末の動乱期にあたっては海防策を論じ、開国論を主張した。そのため攘夷派のねらうところとなり、京都の三条木屋町で暗殺された。

池上幸豊（いけがみゆきとよ）　享保三（一七一八）―寛政一〇（一七九八）　武蔵国大師河原村の名主の家に生まれ太郎左衛門という。時に将軍吉宗は砂糖の栽培を盛んに奨励した。彼も六株のサトウキビを割りあてられて栽培した。しかし栽培はできても砂糖の製法は分からず幸豊は非常な苦心をした。長崎、日向などから伝手を求めてヒントを得つつ改良と研究をつづけ明和年間にはほぼ成功することができた。そこで砂糖の製法を伝えるために諸国をめぐる許可を得て三回にわたり各地へ旅行した。彼の目標とした千人伝授は成功しなかったが、各地にサトウキビと砂糖製法を伝えたことは大きい。彼はまたこの伝授によって黒糖、白糖を大量に製し、長崎に輸入される海外糖を防ごうとした。また氷糖の製造にも成功して、海外のものに劣らずと評された。一方幸豊は名主としての職務にもよく務め、池上新田と呼ばれる新田開拓にも尽力した。

参考文献とあとがき

この列伝を書くにあたって、参考とさせていただいた、多くの先学の人びとの成果はほぼ次のようなものであった。この蓄積がなかったならば、こうした列伝はとても出来上るものではない。ある先賢の一生を明らかにしようとして地味な努力を傾けてこられた、諸先師に感謝の意を心から表したい。

・日本学士院編「明治前日本科学史」〔日本学術振興会、一九五四―七三年〕（〔　〕内は編集部による注記を示す。以下同様。）
医学史、数学史、天文学史、生物学史など各分野にわたってそれぞれまとめられている。態度、方法などまちまちで精粗はあるが、戦前、戦後初期の研究成果はほぼ集大成される。

・森銑三『おらんだ正月』角川文庫〔角川書店、一九五三年〕〔のち岩波文庫、二〇〇三年〕
戦前に書かれたものだが、江戸の科学者列伝としては最もすぐれたもの。史料の精確さ、文章のなめらかさは今日でも白眉のもの。

・東京科学博物館編『江戸時代の科学』（博文館、一九三四年）
最近復刻が出た（名著刊行会、一九六九年）。もともと展覧会目録だが、江戸期の科学技術の遺産を大観するのに便利。
・遠藤利貞『増修日本数学史』（岩波書店、一九一八年）
・林鶴一『和算研究集録（上下）』（東京開成館、一九三七年）（のち鳳文書館、一九八五年）
ともに和算学者の伝記が多くみられる。
・富士川游『日本医学史』（裳華房、一九〇四年）（のち増補修正版『日本医学史綱要』、全二巻、平凡社、二〇〇三年）
医学者の伝記が多くおさめられる。
・大谷亮吉『伊能忠敬』（岩波書店、一九一七年）（のち名著刊行会、一九七九年）
伊能はもちろんだが巻末に麻田剛立など伊能の周辺の人びとの伝記がある。
・呉秀三『シーボルト先生——其生涯及功業』（吐鳳堂書店、一八九六年）（のち平凡社、二〇〇八年）
最近復刻版が出た（平凡社、一九六七—六八年）。シーボルト周辺の人びとについて多くの小伝をふくむ。
・雑誌「掃苔」・「伝記研究」
戦前にあった墓碑研究の雑誌だが、碑文を中心とした伝記考証が多い。同じく「伝記研究」も戦前のもの。
・蘭学資料研究会「蘭学資料研究会研究報告」
現在二〇〇号をはるかにこえた。幕府旧蔵のオランダ書の研究からはじまったが、蘭学者の伝記の精細な考証も多い。
・田村栄太郎『日本電気技術者伝』（科学新興社、一九四三年）、『日本の技術者』（興亜書房、一九四三年）
明治期もふくむ。
・井上忠『貝原益軒』吉川弘文館（一九六三年）（のち新装版、一九八九年）
「人物叢書」の一。原史料による着実な研究。
・高野長運『高野長英伝』（史誌出版社、一九二八年）（のち岩波書店、第二増訂版第三刷、一九七一年）
・有馬成甫『一貫斎国友藤兵衛伝』（武蔵野書院、一九三二年）
・早川孝太郎『大蔵永常』（山岡書店、一九四三年）（のち『早川孝太郎全集』第六巻に収載、未来社、一九七七年）
・緒方富雄『緒方洪庵伝』（岩波書店、一九四二年）（のち第二版増補版、一九七七年）
ともに原史料によるすぐれた伝記。

資料としては、

・国書刊行会編『文明源流叢書』（国書刊行会）〔全三巻、一九一三―一四年〕（のち鳳文書館、一九九二年）

最近復刻版が出た（名著刊行会、一九六九年）。

・貝原益軒『益軒全集』〔全八巻、益軒全集刊行部、一九一〇―一一年〕（のち国書刊行会、一九七三年）

・三浦梅園『梅園全集』〔上下巻、弘道館、一九一二年〕（のち名著刊行会、一九七〇年）

・杉田玄白『蘭学事始』〔上下巻、天真楼、一八六九年〕（のち片桐一男全訳注、講談社学術文庫、二〇〇〇年）

・木内石亭『石之長者　木内石亭全集』〔全六巻、下郷共済会、一九三六年〕

・平賀源内『平賀源内全集』〔上下巻＋補遺、平賀源内先生顕彰会、一九三二―三六年〕（のち名著刊行会、一九八九年）

・阪本天山『天山全集』〔上下巻、信濃毎日新聞社、一九三六―三七年〕

・「異国叢書」〔全一三巻、駿南社（第一巻のみ聚芳閣）、一九二七―三一年〕（のち雄松堂書店、一九六六年）、「続異国叢書」〔帝国教育会出版部、一九三六年〕（さらに続編として「新異国叢書」〔全三五巻＋索引一巻、雄松堂書店、一九六八―二〇〇五年〕が刊行された）

ツンベルグ、シーボルトなど、後者は刊行中。
・大槻磐水『磐水存響』（私家版、一九一二年）（のち思文閣出版、一九九一年）
・帆足万里『帆足万里全集』（上下巻、帆足記念図書館、一九二六年）
・鈴木春山『鈴木春山兵学全集』（上中下巻、八紘会、一九三七年）
・高野長英『高野長英全集』（全四巻、高野長英全集刊行会、一九三〇—三一年）（のち全六巻、第一書房、一九七八—八二年）
・佐久間象山『象山全集』（上下巻、尚文館、一九一三年）（のち増訂、全五巻、信濃教育会出版部・明治文献（発売）、一九七五年）
・五弓久文編『事実文編』（全五巻、国書刊行会、一九一〇—一一年）（のちゆまに書房、一九七八年）
　碑文の集録。各界にわたっている。
・木村敬二郎編『稿本　大阪訪碑録』（浪速叢書）（浪速叢書刊行会、一九二九年）（のち名著出版、一九七八年）
　碑文がみられる。
・寺田貞次編『京都名家墳墓録』（上下巻、山本文華堂、一九二二年）（のち村田書店、一九七六年）
・文部省編『日本教育史資料』（全九巻＋附録、一八九〇—九二年）（のち鳳文書館、一九八

八年〕

・高橋至時・間重富　他『星学手簡』〔一七九五―一八〇三年〕

有坂隆道による紹介と研究がくわしい。「ヒストリア」11、12、13号及び『日本洋学史の研究』〔創元社、一九六八年〕におさめられる。

・『日本庶民生活史料集成』三一書房〔全三一巻、一九六八―八四年〕

刊行中だが探検、紀行、地誌関係のものに重要な資料をふくむ。

・大槻如電『新撰洋学年表』〔六合館、一九二七年〕

・大槻如電『日本洋学編年史』〔佐藤栄七増訂、錦正社、一九六五年〕〔のち鳳文書館、一九九五年〕

洋学年表の訂正増補版。

伝記はむつかしい。たとえ墓碑の文であってもその日時は必ずしも確実でないし、著作の年代にも、多くの疑義のつきまとうのがふつうである。この小伝ではできるだけ定説にしたがったが、それでもなお多くの誤りがあることであろう。御教正をおねがいしたい。

「列伝」は司馬遷によって古く一個の典型が提出された。ある人間の伝記を書くことは、その人間に対する筆者の価値評価をしめすことであり、それは必然的に筆者の価値観、史観、人間観を提言する。つまるところ、伝記は文学であらねばならぬだろう。鷗外の史伝小説はそのひとつの試みであった。そうした試みが江戸期の科学者について試みられてもいいのではないか。

なおここにおさめた人びとには技術者とみなさるべき人もある。たとえば国友、しかし彼が望遠鏡をつくり天体観測という一種無償の仕事に熱中するところに、わたしは西洋の近代科学の発生期の人びとに似たイメージを感ずる。技術者伝はまたべつに書かれねばなるまい。細川半蔵、江川英竜、佐藤信淵、司馬江漢など。しかしこうした人びとの事蹟はさらにあわいものとなっている。江戸の科学と技術のあり方が、そんなところにも反映しているようにわたしには思われてならない。

一九六九年六月

吉田光邦

解説　用と無用の科学と「科学者」たち

池内　了

日本において、科学の営みが社会的認知を得るようになったのは江戸時代になってからである。といっても、江戸時代の「科学者」たちが科学の研究のみで生活できたわけでなく、幕臣や藩の役人やお抱え医師であるとか、儒学・医学などの塾を経営するとか、医者・通詞・商人・資産家というふうに自由がききやすい身分の者であった。だから、カッコ付きで「科学者」と呼ぶことにする。そして、それぞれの「科学者」が取り組んだ科学の内容は、彼らが生きた時代の背景となっている政治や経済の状況、社会の動向や産業構造の在りよう（発展段階）と深く関わっていた。権力の争奪が終わって徳川幕府のゆるぎない封建体制が確立し、二六〇年の長きに渡って続いた江戸時代においては、その時期によって「科学者」が取り組んだテーマは変遷してきた。それを以下のように整理してみると、時代の様相を色濃く反映していることがよくわかる。

前期（一六〇〇―一六八〇年）：農業経済が基礎となった社会体制が確立する段階で、新

田開発や灌漑設備、上水道整備などの技術の開発が先行した時期
中期（一六八〇—一七五〇年）：儒学が徹底される中で本草学・医学・暦学など、人々の生活に役立つ分野が学問として勃興し深められた時期
後期（一七五〇—一八二〇年）：蘭学の移入によって西洋の科学が拡がり、一種の文化革命が起きた時期
幕末期（一八二〇—一八六〇年）：農業・海防・砲術・造船などを始めとした、さまざまな技術開発に力点がおかれた時期

以上、四期の分け方は金子務著『江戸人物科学史』（中公新書）に倣ったが、年代については相違がある。

では科学の内容は、江戸時代を通じて、具体的にどのように変遷してきたのであろうか？そのことを見る上で面白いヒントがある。本書の最初に登場するのは日本独特の数学である「和算」の系譜なのだが、そこに登場する一八世紀後半の藤田定資がその著書『精要算法』の凡例において「算数に用の用あり、無用の用あり、無用の無用あり」と書いていることだ。これを本書の著者の吉田光邦は、「用の用とは実用性のある数学、無用の用とは直接的に実用とはならないが、実用の基礎となるような数学、無用の無用とは真理のための真理を探究する数学」と、三種類の数学があると解釈している。具体的に代表的な人物を挙げてみ

れば、庶民の数学教育に大きな役割を果たした吉田光由の『塵劫記』が用の用、日本の暦作成や平均律の理論に大きな寄与をした中根元圭が無用の用、そして和算で西洋の近代数学の理論を凌駕すらして真理を追究した関孝和が無用の無用、と言えるだろうか。もっとも無用の無用には、「ただ自分の才能をしめすことを目的として、さまざまの奇妙な問題を扱うこと」を吉田は付け加えているが、それは数学の難題を提示して自らが解いたことを「算額」で世間に宣伝した数学マニアが頭にあったのだろう。

実は、このように学問を目的によって三種類に分けるのは数学のみに限ったことではなく、科学一般について言えることである。科学のさまざまな分野は主たる目的によってこのように三分類できるからだ。さらに、同じ分野の中でも、用から無用へ、無用から用へと、目的が変わっていくこともある。時代が要請する科学があり、営為の積み重ねによって科学の内容は変遷するし、生身の人間たる「科学者」は何らかの形で自分を世間に知らしめたいという欲求を持っているから、それらの兼ね合いで時代を特徴づける科学も三種類のいずれかに決まってきたと考えてよいだろう。

そのような観点から、時期や分野を代表する二五名以上の「科学者」を取り上げ、虚実に拘らずに伝えられてきた素顔を通じて、江戸の科学史を描き出そうとしたのが本書である。さらに、本書の末尾におそらく著者が本編で取り上げたいと考えて史料を集めていたと思われる二九名の「科学者小伝」も付されていて、江戸の「科学者」のほぼ全容が把握できる。

ここでは、主に本文の登場人物の流れに沿いながら、用と無用のせめぎ合いの歴史として江戸の科学史を辿ってみよう。

江戸時代の科学は直接実用に役立つ、つまり用の用の分野から開けていった。「読み書きソロバン」のソロバンに当たる算数（数学）、薬用植物の見分け方から始まった本草学、病気を治癒する中国伝来の漢方医学、生活に密着した暦の作成のための暦学である。

やがて「科学者」は用の用で止まることに満足せず、用の範囲をより広い領域へと展開していこうとする、つまり無用の用へと拡張していくことに挑戦する。貝原益軒は中国直輸入の本草学に飽き足らず、日本の野原に植生する『大和本草』へと拡張し、小野蘭山はリンネの植物分類学の手前まで本草学を洗練させた。さらに、本草のみに閉じずに稲生若水は博物学前夜へと深掘りをし、平賀源内は物産学へと一般化した。この動静は植物・動物・鉱物・鳥類・魚類・貝類・昆虫類など収集のための収集、つまり無用の無用へと展開していった。ただし、単なる収集に留まらず、収蔵品の共通性・異質性に分類して体系的な分類学へと進まなかったのは、学問の掟として師弟間の相伝のみに限られて門外不出であったためかもしれない。

暦学では、渋川春海が過去八〇〇年以上使われてきた中国の暦を、日本の経度を正確に考慮して日本暦の作成を行ったのだが、それはまだ用の用の段階であった。もう一段進んで、すべての学知を中国から学び模倣をする状態から独立して、自らの「科学者」としての立ち位置をしっかり確立する、という大望が彼にはあったようだが挫折した。その後、麻田剛立は太陽系天体の運動の常数変化を近似する消長法を編み出し、高橋至時はケプラーの楕円軌道を採用するに至ったのだが、あくまで暦学に終始して真の天文学に至らなかった。その理由は、非常に優秀な彼らではあったけれども、より正確な暦の作成という用の用の科学に囚われ詳細に立ち入り過ぎたためとしかいいようがない。むしろ、伊能忠敬の緯度・経度の長さを決定したいという年来の宿願を果たすために、完璧な測地事業を行って精度の高い日本地図を完成させたのは無用の用の出発点であったと言えるのではないか。

それとは別に、八代将軍吉宗がキリスト教に関係しない西洋の書籍の輸入を解禁したことで、科学に無用の用の道を大きく切り拓くことにつながった。蘭学の移入で、先に「一種の文化革命」と表現したが、異文化の交流が質の異なった新しい文化や学問を生み出したのである。最も大きな影響を受けたのが西洋医学の導入で、まず外科医がその有効性を見せつけた。『解体新書』という杉田玄白の翻訳書名にあるように、人体を解体する作業を行って内臓を正確に観察してその働きを把握し、それから新しい治療法を編み出すという手法が発見されたのである。いわば要素還元主義の科学の有効性の発見である。こうして蘭方医学は、池に落とした一滴の油が徐々に拡散し、やがて池全体を覆い尽くしていくように、日本全体に拡がっていった。これに大きな寄与をしたのが、封建時代であることを反映して、蘭方医学が桂川家とか宇田川家とかの名門の家学となって、医学のみならず植物学や化学へと学問の幅を拡げていった功績は大きい。無用を有用にするためには、権力の利用も必要なのである。

このような文化革命の時代には天才が現れるもので、物産学から博物学へと歩を進めた平賀源内は西洋絵画を日本に紹介し、エレキテルの修理を通じて電気学の初歩を導入し、文才を発揮して新しい観点の宣伝に努めた。まさに平賀源内は無用から用を生み出す天才であり、蘭学を日本に拡げる貴重な役割を担ったのである。とともに、本書では長崎通詞であった本木良永と志筑忠雄が取り上げられている。その理由は本木が地動説を、志筑がニュートン力学を日本に最初に紹介したためで、窮理学と呼ばれた物理学を日本に上陸させた功績は特筆されてしかるべきだろう。本書では取り上げられていないが、天才絵師である司馬江漢がエッチング（腐蝕銅版画）技術を日本で最初に開発し、地動説や無限宇宙論を自らの著作や銅版画で宣伝して蘭学の新知識と面白さを人々にもたらしたことも記憶しておくべきだろう。地動説や無限宇宙論は、まさに無用の無用である知識の典型なのだが、人々は大いに楽しんだと言われるからだ。科学が見出した思いがけない発見を、庶民も巻き込んでアレコレ議論したのであった。そのため江漢は漢文ではなく国文で本を書いたことも特筆されるべきであろう。科学を人々に引き寄せる上で大いに功を奏したからだ。付け加えれば、大坂の金貸し豪商の剛腕番頭であった山片蟠桃が、無限に広がる宇宙の至るところに人間が生まれているとする、現代の宇宙論に通じる描像を『夢の代』に書いていることにも注目したい。日本人が無用の無用の科学を愛でたのだから。江漢も蟠桃も「科学者」ではないが、「科学者」の魂は持ち続けた。その意味を考えてみる価値があるのではないか。

無用の無用の科学の行き着く先は科学哲学であろう。自然を相手とする科学の存在理由や理論の構造や論理の組み上げ方などを研究対象とする科学哲学は、そもそも用とか無用とかが何を意味するかを考える分野であるからだ。哲学に弱い日本人なのだが、例外的に三浦梅園という素晴らしい先駆者がいて科学を貫く心棒として「条理」という概念を提案した。その考え方は帆足万里に受け継がれたが、そのまま花を咲かせることなく、日本において科学哲学が根付くことがなかった。先の宇宙論も含めて、江戸時代に日本が世界の先端に立ったのだが、線香花火でしかなかったのは、やはり封建体制は科学を真に発展させることにならないことを物語っているようだ。

そして、幕末期を迎える。この時代は、鎖国下の矛盾の余波を受けて高橋景保など優れた「科学者」をシーボルト事件で失い、佐幕・尊皇、開国・攘夷と対立する政治に翻弄されて渡辺崋山や佐久間象山という逸材が犠牲となるという激動の中で、用の用が再び活性化した時代と言えるだろう。国友藤兵衛は流入したさまざまな技術をより高度なものに仕上げ、大蔵永常は農業技術の改良と普及に努め、高島秋帆や坂本天山らは砲術を極め日本の海防のための設備の製作に邁進した。そこでは科学というよりは技術の洗練に目標があり、一段高い生産力の必要と国防への応用のための科学、つまり「科学者」は役に立つ科学に傾注するようになったのである。その伝統は現代にも貫徹している。

以上のように、用と無用という言葉を節回しにして江戸の科学史をざっと通覧してみた。知に飢えた江戸の「科学者」たちが、時代の制約の中で、その時代に応じた科学に勤しんできたことがわかる。封建体制下での厳しい身分制はあったが、ひとたび科学の世界に入ると伸び伸びと個性を発揮した、そんな生き様を本書から読み取って欲しい。新しい知識の洗礼を浴びれば人は自由になれるのである。

(名古屋大学名誉教授)

ナ行

ハ行

マ行

ヤ行

ラ行

ワ行

事項索引

ア行

カ行

サ行

タ行

ワ行

マ行

ヤ行

ラ行

タ行

ナ行

カ行

サ行

人名・書名索引

ア行

本書の原本『江戸の科学者たち』は、一九六九年に
社会思想社より刊行されました。

吉田光邦（よしだ　みつくに）

1921-1991年。京都大学理学部卒業。京都大学人文科学研究所教授，所長を歴任。京都大学名誉教授。専門は，科学技術史。

著書に，『日本の職人』『日本科学史』『日本技術史研究』『錬金術――仙術と科学の間』『万国博覧会の研究』『機械』『きれ』など多数ある。

定価はカバーに表示してあります。

江戸の科学者

吉田光邦

2021年9月7日　第1刷発行

発行者　鈴木章一
発行所　株式会社講談社
東京都文京区音羽 2-12-21 〒112-8001
電話　編集（03）5395-3512
販売（03）5395-4415
業務（03）5395-3615
装　幀　蟹江征治
印　刷　株式会社廣済堂
製　本　株式会社国宝社
本文データ制作　講談社デジタル製作

ISBN978-4-06-525058-7

「講談社学術文庫」の刊行に当たって

これは、学術をポケットに入れることをモットーとして生まれた文庫である。学術は少年の心を養い、成年の心を満たす。その学術がポケットにはいる形で、万人のものになることは、生涯教育をうたう現代の理想である。

こうした考え方は、学術を巨大な城のように見る世間の常識に反するかもしれない。また、一部の人たちからは、学術の権威をおとすものと非難されるかもしれない。しかし、それはいずれも学術の新しい在り方を解しないものといわざるをえない。

学術は、まず魔術への挑戦から始まった。やがて、いわゆる常識をつぎつぎに改めていった。学術の権威は、幾百年、幾千年にわたる、苦しい戦いの成果である。こうしてきずきあげられた城が、一見して近づきがたいものにうつるのは、そのためである。しかし、学術の権威を、その形の上だけで判断してはならない。その生成のあとをかえりみれば、その根は常に人々の生活の中にあった。学術が大きな力たりうるのはそのためであって、生活をはなれた学術は、どこにもない。

開かれた社会といわれる現代にとって、これはまったく自明である。生活と学術との間に、もし距離があるとすれば、何をおいてもこれを埋めねばならない。もしこの距離が形の上の迷信からきているとすれば、その迷信をうち破らねばならぬ。

学術文庫は、内外の迷信を打破し、学術のために新しい天地をひらく意図をもって生まれた。文庫という小さい形と、学術という壮大な城とが、完全に両立するためには、なおいくらかの時を必要とするであろう。しかし、学術をポケットにした社会が、人間の生活にとってより豊かな社会であることは、たしかである。そうした社会の実現のために、文庫の世界に新しいジャンルを加えることができれば幸いである。

一九七六年六月

野間省一